‹ns
apresenta

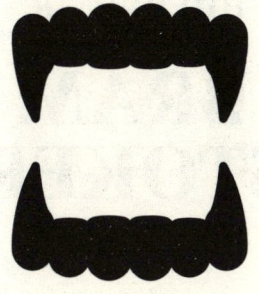

um livro de

BRAM STOKER

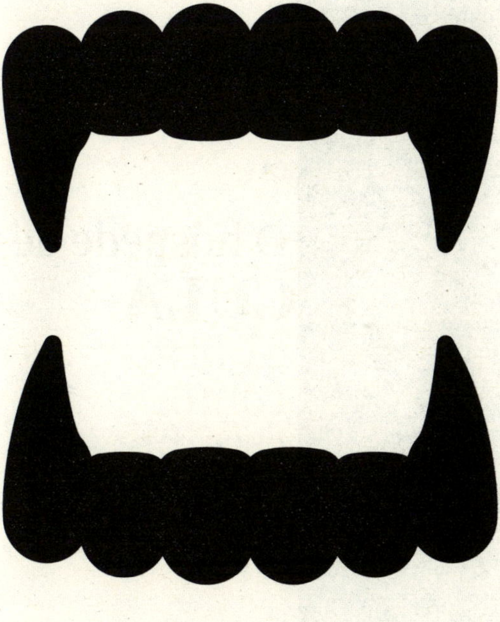

O hóspede de DRÁCULA
e outros contos estranhos

Para meu filho

Alguns meses antes de meu marido morrer — diria eu, com a sombra da morte em seu encalço —, ele planejou três séries de contos para publicação, e o presente volume é um deles. À sua lista de histórias original, neste livro, acrescentei um episódio de Drácula até então nunca publicado. Foi originalmente extraído por conta do tamanho do livro, e pode ser de interesse para muitos leitores da obra que é considerada o trabalho mais notável do meu marido. As outras histórias já foram publicadas em periódicos da Inglaterra e dos Estados Unidos. Se tivesse vivido mais, meu marido teria achado bom revisar o texto, escrito em boa parte quando era mais jovem. Contudo, como o destino confiou a mim a publicação, eu o considero pronto e adequado para seguir adiante praticamente como foi deixado por ele.

Florence Bram Stoker

SUMÁRIO

O hóspede de Drácula — 15

A casa do juiz — 31

A índia — 55

O segredo do ouro que crescia — 71

A profecia cigana — 87

A chegada de Abel Behenna — 101

O enterro dos ratos — 123

O sonho das mãos vermelhas — 153

Nas areias de Crooken — 167

O HÓSPEDE DE DRÁCULA

QUANDO PEGAMOS A ESTRADA,

o sol brilhava lindamente em Munique e o ar emanava toda a alegria do início do verão. Estávamos prestes a partir quando Herr Delbrück, o *maître* do Quatre Saisons, onde eu estava hospedado, veio até a carruagem sem o quepe e, depois de me desejar boa viagem, disse ao cocheiro, ainda com a mão apoiada na alça da porta da carruagem:

— Lembre-se de voltar antes do anoitecer. O céu está limpo, mas o friozinho do vento do norte indica que pode cair uma tempestade a qualquer momento. Mas sei que você não vai se demorar. — Nisso ele sorriu e acrescentou: — Pois você sabe que dia é hoje.

Johann respondeu com um enfático "Ja, mein Herr" e, após um toque no chapéu, pôs a carruagem em movimento. Quando saímos da cidade, eu disse a ele, após sinalizar para que parasse:

— Diga-me, Johann, o que tem hoje à noite?

Fazendo sinal da cruz, o homem respondeu, lacônico:

— *Walpurgis nacht*.

E tirou do bolso o relógio alemão de prata de um modelo antigo, do tamanho de um rabanete, e fitou-o, com as sobrancelhas muito franzidas e um dar de ombros impaciente. Percebi que era esse seu jeito de protestar respeitosamente contra a demora desnecessária e afundei-me de volta no interior da carruagem, acenando casualmente para que prosseguíssemos viagem. Ele partiu apressado, como se para compensar o tempo perdido. Vez por outra os cavalos pareciam sacudir a cabeça e farejar algo suspeito no ar. Nesses momentos eu olhava ao redor, preocupado. Era uma estrada erma, pois atravessávamos uma espécie de planalto varrido pelo vento. Em certo ponto, avistei uma estradinha com cara de pouco usada que parecia avançar por um vale cheio de curvas. Achei-a tão convidativa que, mesmo correndo o risco de ofendê-lo, pedi a Johann que parasse — assim que ele parou, disse-lhe que gostaria de seguir viagem por essa estrada. O homem soltou todo tipo de desculpas, e não parava de fazer o sinal da cruz enquanto falava. Isso bastou para atiçar minha curiosidade, então lhe fiz diversas perguntas. Ele respondeu à revelia, olhando o tempo todo para o relógio em protesto. Finalmente, eu disse:

— Bem, Johann, eu quero pegar essa estrada. Não pedirei que venha, se não quiser, mas diga-me por que não quer ir. Só lhe peço isso.

Como resposta, ele quase se jogou para fora da cocheira, e num segundo já estava no chão. Depois estendeu as mãos para mim em súplica, implorando-me que eu não fosse. Havia um mínimo de inglês misturado ao alemão que ele falava para eu entender o que dizia. Ele parecia sempre prestes a me dizer algo — algo que só de pensar lhe metia medo; mas toda vez ele empacava, fazendo o sinal da cruz e dizendo "Walpurgis nacht!".

Tentei argumentar com ele, mas é difícil argumentar com alguém quando não se sabe seu idioma. O cocheiro certamente detinha a vantagem, pois, embora começasse a falar em inglês — do tipo mais rude e entrecortado —, acabava sempre se empolgando e retornando ao idioma nativo — e, toda vez que fazia isso, checava o relógio. Então os cavalos ficaram inquietos e puseram-se a farejar algo no ar. Nisso o homem ficou pálido e, após olhar ao redor muito preocupado, saltou de repente, pegou os animais pelas rédeas e avançou com eles uns dez metros. Fui atrás dele e perguntei por que tinha feito isso. Em resposta, o homem fez o sinal da cruz, acenou para o ponto em que estivéramos e virou a carruagem em direção à outra estrada, apontando para o cruzamento, e disse, primeiro em alemão, depois em inglês:

— Enterrado ele... ele que se matou.

Lembrei-me do antigo costume de enterrar suicidas em encruzilhadas.

— Ah! Entendi, um suicida. Que interessante!

Mas por tudo que era mais sagrado, eu não conseguia entender de que os cavalos estavam com medo.

Enquanto conversávamos, ouvimos um barulho esquisito, algo como um ganido ou latido. Veio de muito longe, mas os cavalos ficaram muito agitados; Johann teve dificuldade de acalmá-los. Pálido, ele disse:

— Parece um lobo... mas agora não tem lobo por aqui.

— Não? — disse eu, duvidando dele. — Não faz tempo que há lobos perto da cidade?

— Muito tempo — ele respondeu —, na primavera e no verão, mas, com a neve, os lobos não ficam por aqui muito tempo.

Enquanto ele afagava os cavalos tentando acalmá-los, nuvens escuras avançaram rapidamente pelo céu. O sol desaparecera, e passou por nós uma lufada de vento frio. Foi apenas um sopro, no entanto, e mais como que para nos avisar de alguma coisa, pois o sol voltou a brilhar. Cobrindo os olhos com a mão, Johann olhou para o horizonte e disse:

— A tempestade de neve, ele vem em pouco tempo.

Depois olhou mais uma vez para o relógio e, logo em seguida, agarrando com firmeza as rédeas — pois os cavalos ainda davam patadas no solo, agitados, sacudindo a cabeça —, subiu na cocheira, como se chegasse a hora de continuar a jornada.

Sentia-me um tanto obstinado, então não adentrei logo a carruagem.

— Fale-me — disse — sobre esse lugar para onde a estrada leva. — E apontei para lá.

Mais uma vez ele fez o sinal da cruz e murmurou uma oração, depois respondeu:

— É impuro.

— O que é impuro? — perguntei.

— O vilarejo.

— Então tem um vilarejo?

— Não, não. Ninguém mora lá há centenas de anos.

Atiçou minha curiosidade.

— Mas você disse que havia um vilarejo.

— Havia.

— Onde está agora?

Nisso ele desatou a contar uma longa história em alemão e inglês, tão misturados que não entendi exatamente o que dizia, mas pude depreender por alto que há muito tempo, centenas de anos, morreram pessoas ali e foram enterradas em sepulturas, e ouviram barulho debaixo da terra, e, quando as sepulturas foram abertas, homens e mulheres foram encontrados ainda corados e com a boca vermelha de sangue. E então, na pressa para salvar suas vidas (e, claro, suas almas! — e nisso o cocheiro benzeu-se mais uma vez), os que restaram fugiram para outros lugares, onde os vivos estavam vivos e os mortos estavam mortos, e não... não alguma coisa. Ficou claro que o homem tinha medo de falar essas últimas palavras. Conforme prosseguia com a narrativa, foi ficando cada vez mais empolgado. Foi como se a imaginação o dominasse, e ele teve um verdadeiro ataque de medo — rosto pálido, suando, tremendo e olhando ao redor, como se esperasse que alguma presença horrenda fosse manifestar-se ali sob a luz do sol, na campina. Finalmente, numa agonia desesperadora, ele exclamou:

— Walpurgis nacht!

E acenou para a carruagem, para que eu entrasse. Meu sangue inglês ferveu nesse momento. Firme onde estava, eu disse:

— Você está com medo, Johann... está com medo. Vá para casa; eu retornarei sozinho; a caminhada me fará bem.

A porta da carruagem estava aberta. Tirei do banco minha bengala de carvalho, a que sempre levo quando viajo nos feriados, e fechei a porta, apontando para Munique, dizendo:

— Vá para casa, Johann... os ingleses não temem a Walpurgis-nacht.

Os cavalos estavam agora mais inquietos do que nunca, e Johann tentava contê-los enquanto me implorava avidamente que não fizesse uma bobagem daquela. Tive pena do pobre coitado — estava sinceramente preocupado; entretanto, não pude evitar achar graça. O inglês do homem se fora de todo. Tomado de ansiedade, ele se esquecera de que o único modo de me fazer compreendê-lo era falando a minha língua, então seguiu tagarelando em alemão. Comecei a achar a cena tediosa. Após acenar para onde ele deveria ir, "Casa!", fui descer o cruzamento a caminho do vale.

Com um gesto de desespero, Johann virou seus cavalos para Munique. Apoiado em minha bengala, fiquei observando-o. Ele seguiu lentamente pela estrada por um tempo, até que apareceu, no topo do morro, um homem alto e magro. Eu não enxergava direito, pois estava longe. Quando o homem aproximou-se dos cavalos, eles começaram a pular e dar coices, e a relinchar, aterrorizados. Johann não conseguiu segurá-los; dispararam pela estrada, fugindo enlouquecidos. Vi quando sumiram no horizonte; procurei o desconhecido, mas descobri que ele também tinha sumido.

Com paz no coração, segui pela estradinha que serpeava o profundo vale, a mesma à qual Johann objetara. Não havia o menor motivo, até onde eu pude ver, para tal objeção; e devo dizer que caminhei por algumas horas sem nem pensar no tempo ou na distância, e certamente sem ver uma pessoa ou casa que fosse. Quanto ao local, era a própria desolação. Mas não reparei nisso de fato até que, ao virar numa curva da estrada, deparei com a orla esparsa de um bosque; somente então percebi como ficara inconscientemente impressionado com a desolação da região pela qual passava.

Sentei-me para descansar um pouco e comecei a olhar ao redor. Ocorreu-me que estava consideravelmente mais frio do que estivera no começo da caminhada — eu ouvia uma espécie de sussurro nos arredores, e, vez por outra, bem ao alto, algo como um rugido abafado. Olhando para cima, notei que enormes nuvens espessas moviam-se rapidamente pelo céu, de norte a sul, em grande altitude. Eram os sinais de uma tempestade que avançava pelas camadas mais elevadas da atmosfera. Comecei a sentir um pouco de frio e, pensando que fosse por ter me sentado depois de exercitar-me caminhando, retomei o trajeto.

O terreno pelo qual eu passava tornara-se muito mais pitoresco. Não havia objetos que chamassem muito a atenção, mas, no geral, era um local charmoso e belo. Quase não me atentei ao tempo, e foi somente quando o entardecer forçou-se sobre mim que comecei a pensar que estava na hora de encontrar o caminho de casa. A luz brilhante do dia se fora. O ar estava frio, e o rolar das nuvens acima, mais intenso. Elas chegavam acompanhadas pelo som de uma espécie de varrer distante em meio ao qual parecia soar, a intervalos, aquele uivo misterioso que o cocheiro alegara ser de um lobo. Por um momento, hesitei. Eu disse que queria ver o vilarejo deserto, então segui adiante, e fui parar num campo aberto e amplo, envolto por morros. As encostas eram cobertas por árvores que se espalhavam até a planície, pontilhando em grupos os suaves declives e depressões que apareciam aqui e ali. Segui com o olhar o serpentear da estrada, e vi que fazia uma curva junto de um dos mais densos desses conjuntos de árvores, perdendo-se atrás dele.

Foi nesse instante que senti um vento frio e a neve começou a cair. Pensei nos quilômetros de terreno ermo pelos quais havia passado, e abriguei-me depressa no bosque à frente. Cada vez mais escuro foi ficando o céu, e mais forte e pesada caía a neve, até que o solo ao meu redor tornou-se um cintilante carpete branco que se perdia na opacidade da neblina. A estrada ali era mais rústica, e, no plano, seus limites não apareciam tão bem como quando ela cindia os morros; em pouco tempo desconfiei que devia estar me afastando dela, pois não sentia mais a superfície firme debaixo dos pés, e eles afundavam cada vez mais em grama e musgo. O vento ficou mais vigoroso, soprando com força cada vez maior, até que não consegui manter o passo contra ele. O ar ficou gelado e comecei a sofrer com o frio, mesmo com todo esse exercício. A neve caía tão grossa e girava ao meu redor em redemoinhos tão velozes que eu mal podia manter os olhos abertos. Vez por outra o céu era rasgado por vívidos relâmpagos, e com os lampejos eu podia ver, à minha frente, uma grande massa de árvores, principalmente teixos e ciprestes cobertos por uma camada pesada de neve.

Logo me encontrei sob o abrigo das árvores, e ali, em relativo silêncio, pude ouvir o rugido do vento no alto. A essa altura, o negrume da tempestade amalgamara-se à escuridão da noite. Começava a parecer que a tempestade ia passar; agora vinha apenas em poderosas lufadas ou rajadas. Nesses momentos, o som esquisito do lobo parecia ecoado por muitos sons similares ao meu redor.

Vez por outra, em meio à massa sombria de nuvens que avançavam, passava um sofrido raio de luar que iluminava os arredores, mostrando-me que eu estava na beira de uma densa massa de ciprestes e teixos. Como a neve cessara, abandonei meu abrigo e fui investigar mais de perto. Tive a impressão de que, entre tantas construções mais antigas pelas quais passara, poderia haver ainda alguma casa de pé na qual, embora em ruínas, eu poderia encontrar abrigo por um tempo. Dando a volta na orla do pequeno bosque, descobri que era circundado por um muro baixo, e ao segui-lo encontrei uma passagem. Ali, as árvores compunham uma trilha que levava para uma volumosa massa quadrada que se revelou como uma espécie de construção. Assim que a avistei, no entanto, as nuvens passantes encobriram a lua, e cruzei a trilha no escuro. O vento devia ter ficado ainda mais gelado, pois senti que tremia ao caminhar; contudo, havia a esperança de encontrar abrigo, então segui meu caminho, mesmo às cegas.

Parei quando senti uma quietude repentina. Cessara a tempestade e, talvez por simpatia ao silêncio da natureza, meu coração pareceu parar de bater. Mas isso foi apenas momentâneo, pois subitamente o luar rompeu o bloqueio das nuvens, mostrando-me que eu estava num cemitério, e que o objeto quadrado à minha frente era uma enorme tumba de mármore, tão branca quanto a neve que jazia em cima dela e ao redor. Com o luar, veio um poderoso sopro da tempestade, que pareceu retomar seu curso com um uivo grave e longo, como o de muitos cães ou lobos. Eu estava admirado e em choque, e senti o frio avultar-se sobre mim até parecer tomar-me o coração. Então, com a onda de luar que ainda encobria a tumba de mármore, a tempestade pareceu dar mais indicação de que se renovava, como se retomasse o curso. Impelido por uma espécie de fascinação, aproximei-me do sepulcro para ver o que era, e por que algo tão notável estaria ali sozinho, num lugar como aquele. Dei a volta e li, por sobre a porta dórica, em alemão:

CONDESSA DOLINGEN DE GRATZ
EM ESTÍRIA
PROCUROU E ENCONTROU A MORTE
1801

No topo da tumba, aparentemente fincada no sólido mármore — pois a estrutura era composta por poucos blocos enormes de pedra —, havia uma grande lança ou estaca de ferro. Seguindo para a parte de trás, vi, gravado em grandes letras em russo:

"Os mortos viajam depressa."

Havia algo de tão estranho e perturbador na cena toda que levei um susto e cheguei a ficar tonto. Comecei a desejar, pela primeira vez, ter aceitado o conselho de Johann. Nesse instante ocorreu-me uma ideia que me veio sob circunstâncias quase misteriosas e com terrível choque. Era a Noite de Santa Valburga!

A Noite de Santa Valburga, em que, de acordo com a crença de milhões de pessoas, o diabo estaria à solta — e as sepulturas abriam-se e os mortos levantavam-se e saíam andando. A noite em que todas as criaturas malignas da terra, do ar e da água festejavam. Era esse o local que o cocheiro tanto execrava. Era esse o vilarejo abandonado séculos antes. Era ali que jazia o suicida, e era onde eu me encontrava, sozinho — abatido, tremendo de frio, sob uma mortalha de neve, com uma horrenda tempestade avultando-se sobre mim! Foi preciso juntar toda a minha filosofia, toda a religião que me fora ensinada, toda a minha coragem para não ter um ataque de pânico.

Foi então que fui atacado por um tornado perfeito. O solo sacudiu como se milhares de cavalos o pisoteassem; e dessa vez a tempestade trazia em suas asas geladas não somente neve, mas enormes pedras de gelo que voavam com tamanha violência que pareciam projetadas pelas tiras de estilingues baleares — granizo que açoitava folhas e galhos e tornava inútil o abrigo de ciprestes, como se não passassem de hastes de milho. Primeiro corri para a árvore mais próxima, mas logo fui forçado a deixá-la e buscar o único ponto que parecia oferecer refúgio — o grande arco em estilo dórico da tumba de mármore. Ali, agachado junto à massiva porta de bronze, consegui um pouco de proteção do açoite do granizo, pois agora ele me alcançava apenas quando ricocheteava do solo e das laterais da tumba.

Quando me recostei na porta, ela moveu-se devagar e abriu para dentro. Até o abrigo de uma tumba era bem-vindo naquela tempestade implacável, e eu estava prestes a entrar quando estourou o lampejo de um relâmpago bifurcado que acendeu toda a expansão do céu. Nesse instante, meus olhos voltados para a escuridão da tumba viram uma linda mulher, tão viva quanto eu, com bochechas rechonchudas e lábios vermelhos, que parecia dormir num esquife. Quando irrompeu o trovão, fui agarrado como que pela mão de um gigante e arremessado para a tempestade lá fora. A coisa toda foi tão súbita que, antes que pudesse me dar conta do choque, tanto moral quanto físico, senti o granizo a me castigar. Ao mesmo tempo, tive a sensação estranha e sobrepujante de que não estava sozinho. Olhei na direção da tumba. Foi então que desceu outro raio de cegar os olhos, que pareceu atingir a estaca de ferro fincada na tumba e escorrer para o solo, destruindo e enrugando o mármore, como numa explosão de chamas. A mulher morta ergueu-se num momento de agonia, consumida que estava pelas chamas, e seu terrível grito de dor afogou-se em meio à trovoada. A última coisa que ouvi foi essa mistura de sons horrendos, pois mais uma vez fui agarrado por aquela imensa mão invisível e arrastado dali, com o granizo caindo sobre mim, o ar ao redor parecendo reverberar o uivo dos lobos. A última coisa que vi foi uma vaga massa branca, como se todas as sepulturas ao meu redor tivessem libertado os fantasmas de seus mortos, e eles avançassem sobre mim em meio à nebulosidade alva do granizo.

Gradualmente, veio-me um vago início de consciência; depois, uma sensação de cansaço terrível. Por um tempo, não me lembrava de nada, mas aos poucos os sentidos retornaram. Sentia meus pés dominados pela dor, entretanto não podia movê-los. Pareciam anestesiados. Tinha uma sensação gelada que descia da nuca por toda a coluna, e meus ouvidos, como meus pés, estavam mortos, ainda que em tormento; mas havia em meu peito uma sensação de calor que era, em comparação, deliciosa. Era um pesadelo — um pesadelo físico, se é que se pode usar tal expressão, pois algo pesava tanto sobre o meu peito que me dificultava a respiração.

Esse período de semiletargia pareceu durar um bom tempo, e quando ele passou eu devo ter dormido ou desmaiado. Depois veio uma espécie de náusea, como o primeiro estágio do enjoo do mar, e um desejo louco de me libertar de alguma coisa — não sabia o quê.

Uma intensa quietude me envolvia, como se o mundo inteiro dormisse ou estivesse morto — rompida somente pelo arquejar baixinho de um animal, perto de mim. Senti um roçar cálido na garganta, então me veio a noção da terrível realidade, que me arrepiou até o coração e fez o sangue correr para o cérebro. Um animal enorme, deitado em cima de mim, lambia a minha garganta. Tive receio de me mexer, pois algum instinto de prudência me forçava a ficar imóvel; contudo, o monstro pareceu notar que alguma coisa em mim mudara, pois ergueu a cabeça. Por entre as pálpebras, vi, acima de mim, os grandes e flamejantes olhos de um gigantesco lobo. Seus dentes brancos afiados reluziam na imensidão vermelha de sua boca aberta, e eu podia sentir seu hálito forte e pungente sobre mim.

Permaneci mais um tempo sem ver nada. Pouco depois ouvi um rosnado grave, seguido por um ganido, e o bicho pôs-se a latir sem parar. Então, aparentemente muito distante, ouvi um "Olá! Olá!", como se muitas vozes chamassem em uníssono. Cautelosamente, ergui o rosto e olhei na direção de onde vinha o som, mas o cemitério bloqueava a minha visão. O lobo continuava a ganir de um jeito estranho, e um brilho avermelhado começou a se mover pelo bosque de ciprestes como se acompanhasse o som. Conforme as vozes se aproximavam, o lobo gania mais alto e mais depressa. Tive receio de fazer barulho ou de me mexer. Foi chegando mais perto o brilho vermelho, por sobre a alva mortalha que se estendia até a escuridão ao meu redor. Então, muito de repente, de além das árvores, veio trotando uma tropa de cavaleiros com tochas nas mãos. O lobo saltou do meu peito e correu para o cemitério. Vi um dos cavaleiros — soldados, a julgar pelos quepes e longas capas de militar — erguer a carabina e mirar. Um companheiro bateu-lhe no braço, e ouvi a bala passar de raspão bem acima da minha cabeça. Evidente que o homem confundiu meu corpo com o do lobo. Outro avistou o animal enquanto este fugia, e houve um disparo. Então, galopando, a tropa avançou — alguns na minha direção, outros seguindo o lobo, que desaparecia entre os ciprestes cobertos de neve.

Conforme se aproximaram, tentei mover-me, mas estava incapacitado, embora pudesse ver e ouvir tudo que acontecia ao meu redor.

Dois ou três dos soldados saltaram de seus cavalos e ajoelharam ao meu lado. Um deles ergueu minha cabeça e pôs a mão no meu peito.

— Boa notícia, camaradas! — exclamou. — O coração está batendo!

Depois verteram um pouco de xerez na minha boca; a bebida revigorou-me, e fui capaz de abrir bem os olhos e olhar ao redor. Luzes e sombras moviam-se em meio às árvores, e ouvi homens chamando uns aos outros. Reuniram-se, soltando exclamações, consternados; e foi um lampejar de luzes quando os outros surgiram do cemitério, atabalhoados, como homens possuídos. Quando esses outros chegaram mais perto de nós, os que estavam junto de mim perguntaram, preocupados:

— Bem, encontraram-no?

A resposta veio rapidamente:

— Não, não! Vamos embora rápido; rápido! Não devemos ficar neste lugar, ainda mais esta noite!

— O que era aquilo? — foi a pergunta, feita em todos os tons possíveis.

A resposta veio em diversas e indefinidas falas, como se os homens fossem mobilizados por um impulso comum de falar, entretanto restringidos por um medo comum de expressar seus pensamentos.

— É... é... realmente! — balbuciou um deles, tendo obviamente perdido o senso por um instante.

— Um lobo... mas que não é lobo! — acrescentou outro, estremecendo todo.

— Não adianta tentar atacar sem a bala sagrada — comentou um terceiro, de modo um pouco mais casual.

— Bem-feito para nós, por sair logo nesta noite! Realmente merecemos nossos mil marcos! — foram as proclamações de um quarto.

— Havia sangue no mármore partido — disse outro, após uma pausa —, e não foi o relâmpago que o trouxe ali. E quanto a ele... está bem? Olhem a garganta dele! Vejam, camaradas, o lobo ficou deitado em cima dele, mantendo-lhe o sangue quente.

O oficial olhou para a minha garganta e respondeu:

— Ele está bem; a pele não foi perfurada. Que significa tudo isto? Não teríamos encontrado o homem não fosse o latir do lobo.

— Que aconteceu com ele? — perguntou o homem que segurava a minha cabeça, e que parecia o menos atacado de pânico do grupo, pois tinha mãos firmes, não tremia. Na manga do casaco, ele tinha a divisa de um suboficial.

— Foi embora para casa — respondeu o homem de rosto comprido e pálido, e chegou a tremer de horror ao olhar ao redor, temeroso. — Há sepulturas suficientes nas quais ele pode deitar-se. Vamos, camaradas... vamos rápido! Deixemos este local amaldiçoado.

O oficial ergueu-me para ficar sentado, ao mesmo tempo que emitiu um comando; então diversos homens puseram-me num cavalo. O oficial saltou para a sela atrás de mim, juntou-me nos braços, deu a ordem para avançar. Pegando a direção contrária aos ciprestes, cavalgamos no ritmo ligeiro dos militares.

Ainda minha língua recusava-se ao ofício; eu permanecia em silêncio forçado. Devo ter adormecido, pois a coisa seguinte de que me lembro foi encontrar-me de pé, suportado por um soldado de cada lado. Já havia quase amanhecido de todo, e ao norte um feixe avermelhado de luz do sol esticava-se como uma trilha de sangue sobre o horizonte nevado. O oficial pedia aos homens que não contassem nada do que tinham visto, exceto que encontraram um inglês desconhecido, protegido por um cachorro grande.

— Cachorro! Aquilo não era um cachorro — cortou-o o homem que havia demonstrado tanto medo. — Acho que reconheço um lobo quando vejo um.

O jovem oficial respondeu calmamente:

— Eu disse cachorro.

— Cachorro! — reiterou outro, ironicamente. Evidente que sua coragem nascia junto do sol; apontando para mim, ele disse: — Olhe a garganta dele. Isso aí é obra de cachorro, mestre?

Instintivamente, levei a mão à garganta, e ao tocá-la soltei um berro de dor. Os homens juntaram-se para ver; alguns até desceram das selas. Mais uma vez soou a voz tranquila do jovem oficial:

— Cachorro, como eu disse. Se dissermos qualquer outra coisa, vão rir de nós.

Fui então colocado nas costas de um soldado, e seguimos para os subúrbios de Munique. Ali deparamos com uma carruagem perdida, à qual fui içado, e guiaram-na até o Quatre Saisons — o jovem oficial me acompanhando o tempo todo, enquanto um soldado nos seguia em seu cavalo. Os demais partiram para seus barracões.

Quando chegamos, Herr Delbrück desceu tão rápido os degraus para me encontrar que ficou claro que estivera vendo tudo lá de dentro. Tomando minhas mãos, guiou-me, solícito, para dentro. O oficial fez uma mesura e já se virava para retirar-se quando reconheci suas intenções e insisti que viesse aos meus aposentos. Bebendo uma taça de vinho, agradeci calorosamente a ele e seus bravos companheiros por me salvarem. Ele respondeu somente que era um grande prazer, e que Herr Delbrück logo de início tomara providências para agradar toda a equipe de buscas; diante dessa fala ambígua, o maître sorriu, e o oficial bateu continência e retirou-se.

— Mas Herr Delbrück — perguntei —, como e por que os soldados foram me procurar?

Ele deu de ombros, como se não valorizasse o próprio feito, e respondeu:

— Tive a sorte de obter permissão do comandante do regimento ao qual servi para requisitar voluntários.

— Mas como sabia que eu tinha me perdido? — perguntei.

— O cocheiro apareceu aqui com o que restava da carruagem, que fora danificada quando os cavalos fugiram.

— Mas claro que você não enviaria uma equipe de soldados somente por conta disso, enviaria?

— Ah, não! — respondeu ele. — Antes mesmo de o cocheiro chegar, eu havia recebido este telegrama do boiardo do qual o senhor é hóspede. — E tirou do bolso um telegrama que entregou a mim, no qual eu li:

Bistrița
Cuide bem do meu hóspede — sua segurança é de grande
estima para mim. Caso algo lhe aconteça, caso deem

falta dele, não poupe esforços para encontrá-lo e garantir sua segurança. O homem é inglês, portanto aventureiro. Costuma haver perigos na neve, e lobos à noite. Não hesite um instante que seja caso suspeite que ele está em apuros. Agradecerei pelo cuidado com boa soma.
Drácula

Com o telegrama ainda na mão, senti o quarto girar ao meu redor; não fosse o atencioso maître me segurar, acho que teria caído. Havia algo de tão estranho naquilo tudo, algo tão esquisito e impossível de imaginar, que cresceu dentro de mim a sensação de ser o joguete de forças opostas — e apenas pensar em algo assim pareceu de algum modo paralisar-me. Eu estava, certamente, sob algum tipo de proteção misteriosa. De um país distante chegara, no último minuto, uma mensagem que me tirou do perigo de adormecer no frio da neve, sob as mandíbulas do lobo.

A CASA DO JUIZ

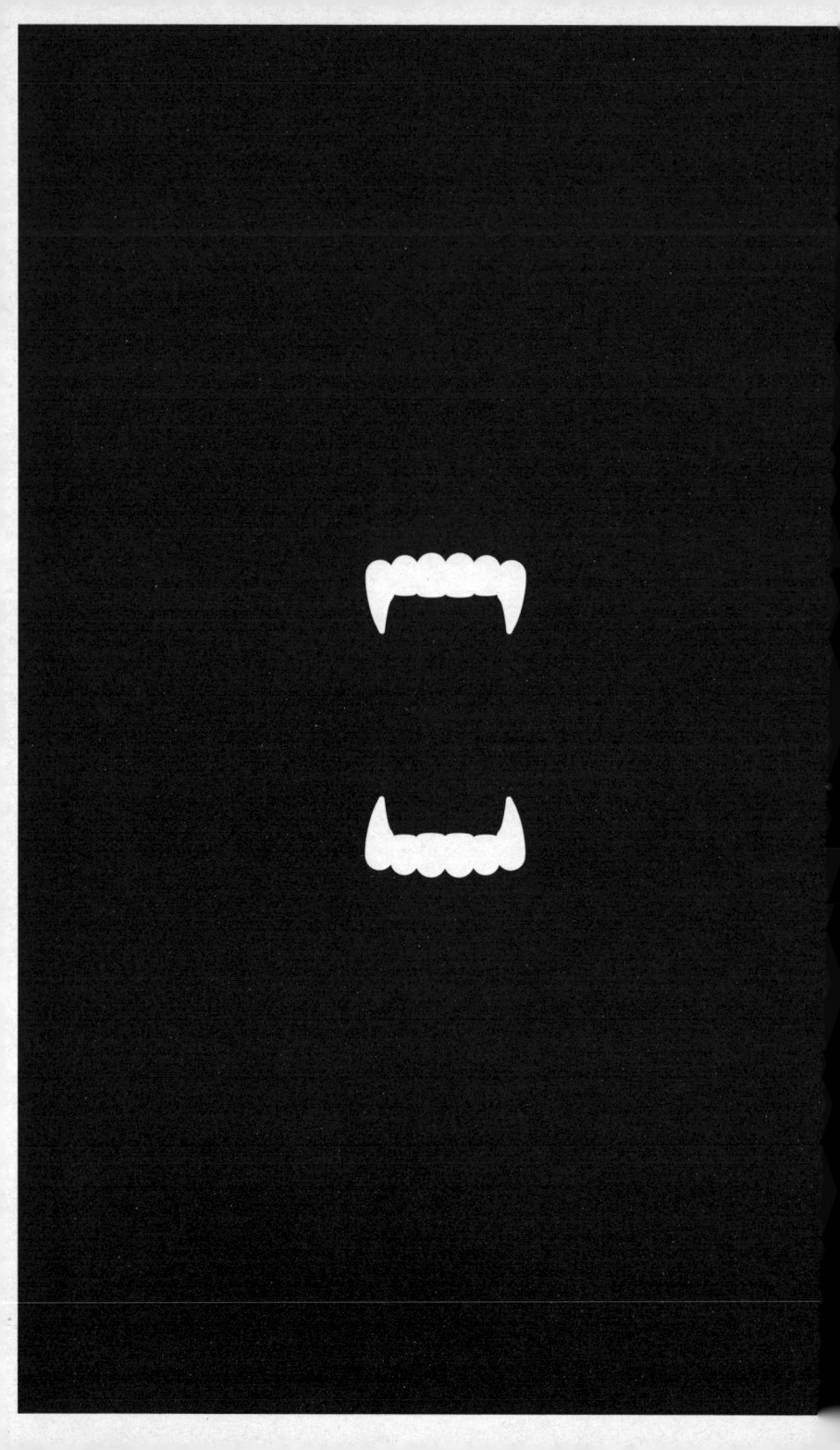

bém o completo isolamento do campo, pois havia muito conhecia seus charmes, e por isso decidiu encontrar uma cidadezinha despretensiosa onde não houvesse nada para distraí-lo. Preferiu não pedir sugestões a nenhum de seus amigos, pois arguia que cada um recomendaria um lugar que ele já conhecia, e onde já havia conhecidos. Tanto quanto queria evitar seus amigos, Malcolmson não queria incumbir-se de dar atenção aos amigos dos amigos, e então decidiu encontrar um lugar ele mesmo. Fez a mala com algumas roupas e todos os livros que desejava e comprou bilhete para o primeiro destino desconhecido da tabela de horários dos trens.

Quando, ao final da jornada de três horas, apeou em Benchurch, ficou satisfeito de ter até o momento obliterado seus rastros, certo de que teria uma oportunidade de paz para dedicar-se aos estudos. Foi direto à única pousada que o pacato local oferecia e ajeitou-se para passar a noite. Benchurch era uma cidade de mercado e uma vez a cada três semanas ficava apinhada em excesso; porém, durante os 21 dias seguintes, era tão atrativa quanto um deserto. Malcolmson deu uma volta, no dia seguinte ao da chegada, para tentar encontrar aposentos mais isolados do que os oferecidos pela mais do que quieta pousada O Bom Viajante. Havia apenas um lugar que chamou sua atenção, e ele certamente satisfazia suas ideias mais absurdas de calmaria; na verdade, calmaria não era a palavra adequada para aplicar nesse caso — desolação era o único termo capaz de transmitir a ideia correta de seu isolamento. Era uma antiga casa de estilo jacobino, robusta, porém caindo aos pedaços, com grandes empenas e janelas pequenas demais, posicionadas mais alto do que de costume em casas desse tipo, e era cercada por uma alta murada de pedra construída para ser muito resistente. De fato, num primeiro momento, parecia mais uma casa-forte do que uma residência comum. Mas todas essas coisas agradavam a Malcolmson. "Este", pensou ele, "é exatamente o local que eu procurava, e se eu tiver oportunidade de usar, ficarei contente". Sua alegria aumentou ainda mais quando ele teve a certeza de que, no momento, a casa estava inabitada.

No correio, obteve o nome do corretor, que ficou um tanto surpreso com o interesse em alugar parte da antiga casa para a temporada. O sr. Carnford, advogado e corretor local, era um idoso jovial, e confessou francamente sua alegria em ver alguém disposto a morar na casa.

— A bem da verdade — disse ele —, eu ficaria muito contente, em nome dos proprietários, em deixar alguém morar na casa de graça por um período de anos, apenas para acostumar as pessoas daqui a vê-la habitada. Faz tanto tempo que está vazia que surgiu uma espécie de preconceito absurdo acerca dela, e isso seria resolvido caso fosse ocupada... ao menos — acrescentou ele, olhando maroto para Malcolmson — por um erudito como o senhor, em busca de tranquilidade.

Malcolmson achou desnecessário perguntar ao corretor do tal "preconceito absurdo"; sabia que obteria mais informações acerca do assunto, caso necessário fosse, por outras fontes. Pagou três meses de aluguel, pegou o recibo e o nome de uma senhora que provavelmente aceitaria cuidar dos afazeres para ele, e saiu com as chaves no bolso. Em seguida, foi ter com a dona da pousada, que era uma pessoa alegre e muito bondosa, e pediu-lhe conselho acerca das lojas e provisões de que certamente viria a precisar. A mulher jogou os braços ao alto, estupefata, quando ele lhe contou onde pretendia hospedar-se.

— Na casa do juiz, não! — disse ela, e foi ficando pálida ao falar.

Ele explicou a localização da casa, dizendo que não sabia o nome. Quando terminou, ela respondeu:

— Sim, certamente... certamente esse lugar mesmo! É a casa do juiz, sem dúvida.

Ele pediu que ela lhe contasse algo sobre o lugar, por que se chamava assim, e o que todos tinham contra. Ela contou que era chamado assim pelos moradores porque, muitos anos antes — quanto tempo ela não sabia dizer, pois também viera de outro canto do país, mas achava que eram uns cem anos ou mais —, fora a morada de um juiz a quem todos temiam muito por conta de suas sentenças duras e a hostilidade para com os prisioneiros nos tribunais de recurso. Quanto ao que tinham contra a casa em si, ela não sabia dizer. Costumava perguntar, mas ninguém a informava de nada; havia, no entanto, a sensação geral de que havia alguma coisa, e nem por todo o dinheiro do banco ela aceitaria ficar na casa sozinha, nem por uma hora. Finalmente, ela pediu desculpas a Malcolmson pelo jeito com que falara.

— Foi erro da minha parte, senhor, mas você, um rapaz jovem, também, se me permite dizer, morar ali sozinho! Se fosse meu filho, e me desculpe por dizer isso, não dormiria lá nem uma noite que fosse, nem que eu mesma tivesse que ir lá tocar o grande sino que tem na cobertura!

A boa mulher falava com honestidade tão evidente, e era tão bondosa em suas intenções, que Malcolmson, embora achando muita graça em tudo, ficou comovido. Ele disse com candura quanto apreciava a preocupação, e acrescentou:

— Mas, minha querida sra. Witham, a senhora não precisa preocupar-se comigo! Uma pessoa que está estudando para o curso de matemática tem tanto em que pensar que não tem como ser perturbada por nenhuma dessas "coisas" misteriosas, e seu estudo é exato e prosaico demais para permitir que tenha espaço na cabeça para mistérios de qualquer tipo. Progressão harmônica, permutação e combinação e funções elípticas são misteriosas o suficiente para mim!

A sra. Witham pôs-se a cuidar gentilmente das coisas do rapaz, e este foi pessoalmente procurar a senhora que lhe fora recomendada. Quando retornou junto dela à casa do juiz, após um intervalo de algumas horas, encontrou a própria sra. Witham esperando com diversos homens e rapazes carregando pacotes, bem como um estofador com uma cama num carro, pois, dissera ela, embora as mesas e cadeiras pudessem estar todas muito conservadas, uma cama que não fora arejada por talvez cinquenta anos não seria adequada para um rapaz jovem nela deitar-se. Evidente que estava curiosa para ver o interior da casa. E, embora tão claramente apavorada com as tais "coisas" que ao mais discreto som agarrava-se a Malcolmson, de quem não se afastou nem por um momento, visitou todos os cômodos.

Após examinar a casa, Malcolmson decidiu alocar-se na grande sala de jantar, que era ampla o bastante para servir a tudo de que ele necessitava; e a sra. Witham, com a ajuda da faxineira, a sra. Dempster, pôs-se a arranjar tudo. Quando os embrulhos foram trazidos e desempacotados, Malcolmson viu que, com bondosa previsão, a estalajadeira trouxera provisões de sua própria cozinha que durariam alguns dias. Antes de ir embora, ela expressou toda sorte de bons desejos e, à porta, virou-se e disse:

— E talvez, senhor, como a sala é grande e arejada, talvez seja melhor colocar um daqueles biombos grandes para proteger sua cama, à noite... Olhe, a bem da verdade, eu morreria se tivesse que ficar assim confinada com todo tipo de... de "coisas" que enfiam a cabeça pelas frestas, e no alto, e ficam olhando para a gente!

A imagem que invocou foi demais para seus nervos e ela foi embora às pressas.

A sra. Dempster deu uma fungada, numa pose de evidente superioridade, assim que a dona da pensão desapareceu, e comentou que, de sua parte, não tinha medo de fantasma nenhum.

— Eu direi do que se trata, senhor — disse ela. — Os fantasmas são todo tipo de coisa, exceto fantasmas! Ratos e camundongos, e besouros; e portas que rangem, e tábuas soltas, e vidraças quebradas, e puxadores de gaveta emperrados, que vão se soltando quando você puxa e resolvem cair no meio da noite. Repare no lambril desta sala! Velho... tem centenas de anos! Acha que não tem ratos e besouros nele? E por acaso o senhor acha que não verá nenhum deles? Ratos são fantasmas, senhor, e fantasmas são ratos; não pense o senhor que seja qualquer outra coisa!

— Sra. Dempster — disse Malcolmson, muito seriamente, com uma mesura polida —, a senhora é mais sábia que um grande matemático! E deixe-me dizer que, como sinal de estima por sua indubitável clareza de pensamento e intenção, quando eu for embora, darei à senhora a posse desta casa e deixarei que fique aqui pelos dois meses restantes da minha estadia, pois quatro semanas já me serão suficientes.

— Muito obrigada, senhor! — ela respondeu. — Mas eu não poderia dormir longe de casa uma noite que fosse. Eu moro no abrigo de Greenhow e, se dormir uma noite sequer fora do quarto, perco tudo que tenho na vida. As regras são muito rígidas, e tem muita gente esperando uma vaga para eu fazer qualquer coisa mais arriscada. Não fosse por isso, senhor, eu ficaria feliz de vir aqui atendê-lo integralmente durante a sua estadia.

— Minha boa senhora — Malcolmson apressou-se em dizer —, eu vim aqui com o propósito de obter solidão, e acredite que dou graças ao finado Greenhow por ter organizado tão admirável serviço de caridade, seja lá qual for, que agora me negam a oportunidade de sofrer uma tentação dessas! O próprio Santo Antônio não poderia ser mais rígido!

A velha senhora riu com gosto.

— Ah, vocês, jovens rapazes — disse —, vocês não têm medo de nada; creio que o senhor conseguirá toda a calmaria que deseja aqui.

Dito isso, a faxineira pôs-se a cuidar da limpeza; ao cair da noite, quando Malcolmson retornou de sua caminhada — sempre levava consigo um de seus livros para estudar enquanto caminhava —, ele encontrou a sala varrida e arrumada, o fogo ardendo na velha lareira, a lamparina acesa e a mesa posta para o jantar com a excelente comida da sra. Witham.

— Isso sim é que é conforto — disse ele, e esfregou as mãos.

Assim que terminou de comer e levou a bandeja até a outra ponta da grande mesa de jantar de carvalho, juntou seus livros mais uma vez, colocou lenha nova na lareira, ajustou a lamparina e ajeitou-se para algumas horas de concentrado estudo. Prosseguiu sem pausa até cerca de onze da noite, quando parou para dar um trato na lareira e na lamparina e para fazer uma xícara de chá. Sempre gostara muito de chá, e durante os anos de faculdade ficava acordado até tarde e tomava o chá a altas horas. Descansar era para ele um grande luxo, de que desfrutava com uma sensação de tranquilidade deliciosa, quase voluptuosa. O fogo renovado saltava e estalava, projetando sombras singulares por toda a grande sala; bebericando seu chá, Malcolmson rejubilava-se na sensação de estar longe dos seus. Foi então que começou a notar, pela primeira vez, a barulheira que faziam os ratos.

"Certamente", pensou, "não poderiam ter feito isso o tempo todo que passei estudando. Caso tivessem, eu teria notado!"

Quando o barulho aumentou, o rapaz satisfez-se com a ideia de que acabara de começar. Ficou claro que, inicialmente, os ratos ficaram assustados com a presença de um invasor e com a luz da lareira e da lamparina, e com o tempo foram tomando coragem e estavam agora se divertindo como era de costume.

E como eram agitados! E que barulhos mais esquisitos! Daqui para lá no velho lambril, por cima do teto e debaixo do piso eles corriam e roíam e arranhavam! Malcolmson sorriu para si mesmo ao lembrar-se do que dissera a sra. Dempster: "Fantasmas são ratos, e ratos são fantasmas!". O chá começava a exercer seu efeito de estímulo intelectual e nervoso; o rapaz viu com alegria a nova etapa de trabalho a ser concluída antes que passasse a noite e, com a sensação de segurança que isso lhe dava, permitiu-se o luxo de dar uma boa investigada na sala. Com a lamparina numa das mãos, deu toda a volta, pensando em como uma casa tão singular e bela fora negligenciada por tanto tempo. As gravuras no carvalho dos painéis do lambril eram bem-feitas, e por cima e nas laterais de portas e janelas eram belas e de alta qualidade. Havia quadros antigos nas paredes, mas estavam tão cobertos de poeira que não dava para distinguir detalhe algum, mesmo erguendo a lamparina o mais alto que podia acima da cabeça. Aqui e acolá, caminhando pela sala, Malcolmson deparou com uma rachadura ou buraco bloqueado por um instante pela cara de um rato, com seus olhos brilhantes cintilando sob a luz, mas ele sumia num segundo, seguido por um guincho e uma fuga desenfreada. A coisa que mais chamava a atenção, contudo, era a corda do grande sino do telhado pendendo num canto da sala, à direita da lareira. Malcolmson puxou para perto do fogo uma enorme cadeira de carvalho de encosto alto e ornado e sentou-se para tomar sua última xícara de chá. Terminado o chá, pôs mais lenha na lareira e retomou os estudos, sentado num dos lados da mesa com o fogo à sua esquerda. Por algum tempo os ratos continuaram a incomodá-lo com sua perpétua correria, mas ele se acostumou ao barulho como alguém o faz ao tique-taque de um relógio ou ao bramido de água em movimento, e ficou tão imerso nos estudos que tudo no mundo, exceto o problema que tentava solucionar, passava-lhe despercebido.

Subitamente Malcolmson ergueu o rosto, o problema ainda por resolver, e sentiu no ar que chegava a hora que precede o amanhecer, tão temida pelos mais inseguros. O barulho dos ratos cessara. De fato, pareceu-lhe ter cessado fazia pouco tempo, e foi justamente esse cessar repentino que o perturbou. O fogo diminuíra, mas ainda emitia um brilho avermelhado. Quando o viu, o rapaz levou um susto, mesmo com todo o seu sangue-frio.

Na cadeira de carvalho de encosto alto e ornado, ao lado da lareira, havia um rato enorme, encarando-o fixamente com um olhar maligno. O rapaz acenou como se para afugentar o bicho, mas este nem se mexeu. Depois fez que jogava alguma coisa. Mesmo assim, o rato não se mexeu; apenas mostrou seus grandes dentes brancos num sorriso raivoso, e seus olhos cruéis cintilaram sob a luz da lamparina, ainda mais vingativos.

Estupefato, Malcolmson muniu-se do atiçador da lareira e apressou-se em matar o rato. Antes, contudo, que pudesse acertá-lo, o animal, soltando um guincho que parecia concentrar todo o seu ódio, saltou para o piso, subiu pela corda do sino e desapareceu na escuridão além do alcance da lamparina de tampo verde. No mesmo instante, por mais incrível que parecesse, a correria barulhenta dos ratos no lambril recomeçou.

A essa altura, a mente de Malcolmson já abandonara de todo o problema de matemática. Quando o cantar de um galo avisou-lhe que se aproximava o amanhecer, ele foi para a cama dormir.

Dormiu tão bem que nem acordou quando a sra. Dempster chegou para arrumar o quarto. Acordou somente depois que ela já tinha ajeitado o lugar, preparado o café da manhã e dado um tapinha no biombo que envolvia a cama. Estava um pouco cansado, ainda, de todo o estudo da noite anterior, mas uma xícara de chá forte logo o renovou. Malcolmson pegou o livro e saiu para sua caminhada matinal, levando consigo uns sanduíches caso não quisesse retornar na hora do almoço. Encontrou uma trilha sossegada entre altos olmos, um pouco distante da cidade, e ali passou boa parte do dia, estudando Laplace. No caminho de volta, passou para ver a sra. Witham e agradecer-lhe por toda a sua gentileza. Quando o viu chegando pela janela em formato de diamantes de sua residência, ela saiu para convidá-lo a entrar. Com um olhar perscrutador e sacudindo a cabeça, ela disse:

— O senhor não pode exagerar. Está mais pálido esta manhã do que deveria. Ficar acordado até tão tarde e estudar tanto assim não faz bem a homem nenhum! Mas conte-me, senhor, como passou a noite? Bem, espero. Mas minha nossa, senhor, como eu fiquei contente quando a sra. Dempster me contou, agora de manhã, que o senhor estava bem e dormindo bem quando ela chegou.

— Ah, eu estava muito bem — ele respondeu, sorrindo. — As "coisas" não me preocuparam até agora. Só os ratos; e eles montaram um circo, devo dizer, pela casa toda. Teve um diabinho com cara de mau que chegou a sentar-se na minha cadeira em frente à lareira, e não foi embora enquanto não avancei para ele com o atiçador. Ele fugiu pela corda do sino e foi para algum lugar, na parede ou no teto... não consegui ver, estava muito escuro.

— Misericórdia! — disse a sra. Witham. — Um diabinho, e sentado na cadeira em frente à lareira! Tome cuidado, senhor! Tome cuidado! Muito do que se fala por brincadeira é verdade.

— O que quer dizer? Juro por tudo que não entendi.

— Um diabinho! O diabo em pessoa, talvez. Olha, senhor, não é para rir. — Pois Malcolmson caíra na gargalhada. — A juventude acha fácil rir de coisas que fazem os mais velhos tremer feito vara verde. Deixe para lá, senhor! Deixe para lá! Queira Deus que o senhor só ria. É o que desejo ao senhor! — disse a bondosa senhora, toda radiante e contente de ver o rapaz rindo, esquecendo-se dos medos por um instante.

— Perdoe-me! — disse Malcolmson, finalmente. — Não me leve a mal, mas essa ideia foi demais para mim... que o diabo em pessoa estava sentado naquela cadeira, ontem à noite!

E ao pensar nisso ele tornou a cair no riso. Em seguida, foi para casa jantar.

À noite, a correria dos ratos começou mais cedo; na verdade, já ocorria antes mesmo de ele chegar, e somente cessou enquanto a presença dele, pela novidade, os perturbou. Depois do jantar, ele se sentou perto da lareira e fumou um cigarro; mais tarde, tendo limpado a mesa, retomou os estudos. Nessa noite, os ratos o incomodaram mais do que fizeram na noite anterior. Como corriam, do teto ao piso e por baixo e por cima! Como guinchavam, arranhavam e roíam! E conforme ficavam mais corajosos, aos poucos apareciam na boca de suas tocas e nas fissuras e rachaduras e fendas do lambril até seus olhos brilharem como pequenas lamparinas refletindo o ir e vir da luz das chamas. Para ele, entretanto, agora sem dúvida acostumado aos bichinhos, seus olhos não pareciam mais maldosos; somente sua animação o comovia. Às vezes, os mais corajosos faziam incursões rápidas ao piso ou ao longo da moldura do lambril. Vez por outra, quando o incomodavam, Malcolmson fazia um barulho para afugentá-los, batendo na mesa com a mão ou fazendo um "Xiu, xiu" mais forte, de modo que os animais fugiam imediatamente para suas tocas.

E seguiu assim a primeira parte da noite; apesar do barulho, Malcolmson foi imergindo cada vez mais nos estudos.

Muito repentinamente ele parou, como na noite anterior, sobrepujado por uma sensação súbita de silêncio. Não havia o menor ruído de roer, arranhar nem guinchar. O silêncio de uma sepultura. Lembrando-se do estranho ocorrido da noite anterior, por instinto ele olhou para a cadeira junto à lareira. E então uma sensação muito esquisita percorreu seu corpo todo.

Ali, na grande cadeira de carvalho de encosto alto e ornado, junto à lareira, estava o mesmo rato enorme, encarando-o fixamente com um olhar maligno.

Instintivamente, o rapaz tomou o que tinha mais perto da mão, um livro sobre logaritmo, e arremessou no bicho. O livro passou longe, e o rato nem se mexeu, por isso mais uma vez repetiu-se o movimento com o atiçador da noite anterior, e mais uma vez o rato, sendo perseguido de perto, escapou pela corda do sino. Igualmente esquisito, a partida desse rato foi imediatamente seguida pela retomada do barulho feito pela comunidade de ratos. Nessa ocasião, como na anterior, Malcolmson não conseguia enxergar para qual parte da sala o rato escapara, pois a luminosidade esverdeada de sua lamparina deixava a porção mais alta da sala no escuro, e o fogo na lareira estava fraco.

Olhando para o relógio, ele viu que estava perto da meia-noite e, sem ligar para a distração, pôs mais lenha na lareira e fez seu bule de chá da noite. Tendo já estudado bastante, achou que merecia um cigarro, então se sentou na grande cadeira de carvalho diante do fogo e apreciou-o. Enquanto fumava, começou a pensar que gostaria de saber para onde o rato fugia, pois tinha certas ideias para o dia seguinte não inteiramente desconectadas de uma ratoeira. Assim, acendeu outra lamparina e alocou-a de modo que iluminasse bem o canto direito da parede, junto à lareira. Depois pegou todos os livros que trouxera e os colocou bem à mão, para jogar no verme. Finalmente, ergueu a corda do sino e colocou a ponta em cima da mesa, fixando-a debaixo da lamparina. Enquanto lidava com ela, não pôde deixar de reparar em como era maleável, ainda mais uma corda assim tão forte, e fora de uso.

"Dá para enforcar uma pessoa com isso aqui", pensou consigo. Terminados os preparativos, olhou ao redor e disse, complacente:

— Pronto, meu amigo. Acho que aprenderemos algo sobre você dessa vez!

Malcolmson retomou os estudos mais uma vez e, embora, como antes, um pouco incomodado inicialmente com o barulho dos ratos, logo se perdeu nas proposições e problemas de matemática.

Novamente foi atraído para os arredores subitamente. Dessa vez, não foi somente o silêncio repentino que chamou sua atenção; houve um pequeno movimento da corda, e a lamparina se mexeu. Sem muita comoção, ele olhou para ver se a pilha de livros estava ao alcance, e lançou um olhar ao longo da corda. Quando olhou, viu o rato enorme saltar da corda para a poltrona de carvalho e sentar-se ali para encará-lo. Malcolmson ergueu um livro na mão direita e, mirando com cuidado, arremessou-o no rato. Este, com um movimento rápido, pulou para o lado e esquivou-se do míssil. O rapaz pegou outro livro, e um terceiro, e arremessou-os um após o outro no rato, mas sempre sem sucesso. Finalmente, quando tinha um livro preparado na mão para jogar, o rato soltou um guincho e pareceu ter medo. Isso fez Malcolmson ter ainda mais vontade de atacar, e o livro voou e acertou o rato com um baque ressonante. O bicho soltou um guincho aterrorizado e, após lançar a seu perseguidor um olhar de terrível malevolência, correu pelo encosto da cadeira e deu um longo salto para a corda do sino, por onde subiu rápido feito um raio. A lamparina sacudiu com o puxão súbito, mas era bem pesada e não tombou. Malcolmson não tirava os olhos do rato e viu-o, com a luz da outra lamparina, saltar para uma moldura do lambril e desaparecer por um buraco num dos grandes quadros pendurados na parede, obscurecido e invisível atrás da camada de sujeira e pó.

— Examinarei a residência do meu amigo amanhã de manhã — disse o estudante, indo coletar seus livros. — O terceiro quadro, a partir da lareira; não me esquecerei. — Foi pegando os livros um por um, comentando ao erguê-los. — Cônicas não lhe faz mal, nem Oscilações cicloidais, nem os Principia, nem Quaterniões, nem Termodinâmica. Agora vamos ao livro que o acertou!

Malcolmson pegou-o e viu a capa. Ao fazê-lo, levou um susto, e uma palidez súbita espalhou-se em seu rosto. Sentindo um arrepio, olhou ao redor, apreensivo, e murmurou consigo:

— A Bíblia que minha mãe me deu! Que coincidência mais esquisita.

Sentou-se para retomar o estudo, e os ratos no lambril retomaram suas brincadeiras. Não o perturbavam, no entanto; sua presença até que lhe dava a sensação de não estar sozinho. Mas ele não conseguiu ater-se ao estudo, e após se esforçar para absorver o assunto em que se engajava, desistiu, desesperado, e foi para a cama sob o primeiro feixe de luz do amanhecer que se insinuava pela janela ao leste.

Dormiu pesado, embora inquieto, e sonhou muito; quando a sra. Dempster acordou-o mais tarde, na manhã seguinte, ele teve a sensação de estar adoentado, e por alguns minutos pareceu não ter muita certeza de onde estava. Seu primeiro pedido deixou a faxineira surpresa.

— Sra. Dempster, enquanto eu estiver fora, hoje, gostaria que a senhora pegasse a escada e limpasse aqueles quadros... principalmente o terceiro a contar da lareira... quero ver como são.

No fim da tarde, Malcolmson estudou seus livros caminhando pela trilha sombreada, e a alegria do dia anterior retornou-lhe com o passar do dia, pois percebia que sua leitura ia progredindo bem. Tinha alcançado uma resolução satisfatória para todos os problemas que até então o apoquentavam, e foi num estado de júbilo que fez uma visita à sra. Witham, no Bom Viajante. Lá encontrou um desconhecido sentado junto dela na sala de estar, que lhe foi apresentado como dr. Thornhill. Ela não estava muito tranquila, e isso, combinado à atitude do médico de desatar numa série de perguntas, fez Malcolmson concluir que a presença dele não era coincidência. Por isso, sem mais delongas, disse:

— Dr. Thornhill, responderei com satisfação a qualquer pergunta que queira fazer-me se primeiro você responder uma pergunta minha.

O médico pareceu surpreso, mas sorriu e respondeu logo em seguida:

— Combinado. O que é?

— A sra. Witham pediu-lhe que viesse até aqui me ver e aconselhar?

Por um instante, o dr. Thornhill ficou admirado, e a sra. Witham ficou toda vermelha e virou o rosto, mas o médico era um homem franco e direto, e respondeu aberta e imediatamente:

— Pediu, sim, mas não queria que você soubesse. Receio que tenha sido minha pressa estabanada que o fez suspeitar. Ela me disse que não gosta da ideia de vê-lo naquela casa sozinho, e que acha que o senhor toma chá forte demais. Na verdade, ela queria que eu o aconselhasse a, se possível, largar o chá e não mais ficar acordado até tarde. Fui um aluno muito dedicado na minha época, então suponho que posso tomar a liberdade de um universitário e, sem ofensa, aconselhá-lo como alguém que o entende.

Malcolmson estendeu a mão, abrindo um grande sorriso.

— Toque aqui! Como dizem na América — disse ele. — Agradeço-lhe pela gentileza, e à sra. Witham também, e sua bondade merece uma retribuição da minha parte. Prometo não mais tomar chá forte... aliás, nada de chá enquanto não me permitir... e irei para a cama hoje à noite à uma da manhã no máximo. É o bastante?

— Excelente — disse o médico. — Agora nos conte tudo que reparou acerca da casa.

Com isso, Malcolmson contou em minuciosos detalhes tudo que acontecera nas duas noites anteriores.

Foi interrompido vez ou outra por alguma exclamação da sra. Witham, até que, finalmente, quando contou do episódio da Bíblia, as emoções acumuladas da mulher encontraram vazão num grito, e foi somente quando um generoso copo de xerez e outro de água foram-lhe administrados que ela se recompôs. O dr. Thornhill escutava tudo com uma expressão cada vez mais grave no rosto, e quando a narrativa foi concluída e a sra. Witham se recuperou, ele perguntou:

— O rato subiu todas as vezes pela corda do sino?

— Todas as vezes.

— Suponho que saiba que corda é essa — disse o médico, após uma pausa.

— Não!

— Essa corda — disse o médico, lentamente — é aquela que o carrasco usava com todas as vítimas do rancor judicial do juiz!

Aqui ele foi interrompido por outro gritinho da sra. Witham, e mais medidas tiveram de ser tomadas para que ela se recuperasse. Malcolmson, tendo checado o relógio e visto que se aproximava a hora do jantar, resolveu ir embora antes que a mulher se recuperasse de todo.

Assim que recobrou o fôlego, a sra. Witham quase atacou o médico com perguntas raivosas acerca de onde ele estava com a cabeça ao colocar ideias tão horrendas dentro da cabeça do pobre rapaz.

— Já havia muito para preocupá-lo — ela acrescentou.

O dr. Thornhill retrucou:

— Minha querida senhora, eu tinha um propósito específico! Queria atrair a atenção do rapaz à corda do sino e fixá-la ali. Pode ser que ele esteja num estado de grande extenuação, e venha estudando demais, embora eu deva dizer que ele me parece são e saudável, mental e fisicamente, como qualquer outro rapaz que eu já tenha visto... mas tem os ratos... e aquela ideia do diabo. — O médico balançou a cabeça e prosseguiu: — Eu teria me oferecido para passar uma noite com ele, mas tinha quase certeza de que ele ficaria ofendido. No meio da noite, ele pode vir a ter um medo estranho ou uma alucinação; caso tenha, quero que ele puxe aquela corda. Sozinho como ele está, isso nos dará o aviso, e podemos chegar lá a tempo de ajudar. Ficarei acordado até bem tarde esta noite, e de ouvidos atentos. Não se surpreenda se Benchurch tiver novidades até o amanhecer.

— Ah, doutor, o que quer dizer? Que quer dizer com isso?

— Quero dizer que, possivelmente... ou, melhor, provavelmente... ouviremos o grande sino da casa do juiz esta noite. — E, dito isso, o médico executou a retirada mais assertiva que se poderia executar.

Quando chegou em casa, Malcolmson reparou que era um pouco mais tarde que seu horário de costume, e a sra. Dempster já tinha ido embora — não se podia negligenciar as regras do abrigo de Greenhow. Foi com alegria que ele constatou que o lugar estava iluminado e arrumado, com um fogo astuto na lareira e uma lamparina muito bem acesa. Fazia uma noite muito mais fria do que se esperaria em abril, e um vento forte soprava com força cada vez maior, trazendo todos os indícios de que chegaria uma tempestade durante a noite. Por alguns minutos após a entrada de Malcolmson, o barulho dos ratos cessou, mas assim que se acostumaram à presença dele, os animais recomeçaram. O rapaz gostava de ouvi-los, pois com aquele barulhinho teve mais uma vez a sensação de não estar sozinho, e sua mente retornou ao estranho fato de que eles cessavam sua manifestação somente quando aquele outro — o rato enorme dos olhos malignos — surgia. Somente a lamparina de leitura estava acesa, e sua luz esverdeada mantinha o teto e a porção superior da sala no escuro; a vívida luminosidade da lareira, que se espalhava pelo piso e reluzia na toalha branca posta na ponta da mesa, trazia calor e conforto. Malcolmson sentou-se para jantar com muito apetite, determinado a não permitir que nada o perturbasse, pois se lembrava da promessa que fizera ao médico, e resolveu aproveitar ao máximo o tempo de que dispunha.

Por cerca de uma hora ele estudou bem, mas logo seus pensamentos começaram a se afastar dos livros. As circunstâncias a seu redor, tudo que chamava a sua atenção e sua susceptibilidade nervosa não podiam ser negados. A essa altura, o vento passara para um temporal, e o temporal para uma tempestade. A velha casa, por mais sólida que fosse, parecia chacoalhar até suas fundações, e a tempestade rugia e açoitava por suas muitas chaminés e curiosas empenas, produzindo sons estranhos e quase sobrenaturais nos cômodos e corredores vazios. Até mesmo o grande sino do telhado devia estar sentindo a força do vento, pois a corda subia e descia devagar, como se o sino se movesse um pouco de tempos em tempos, e a corda solta batia no piso de carvalho com um baque surdo.

Ouvindo esse ruído, Malcolmson lembrou-se das palavras do médico: "Essa corda é a aquela que o carrasco usava com todas as vítimas do rancor judicial do juiz", e foi até o canto da lareira e pegou-a na mão para analisá-la. Havia nela algo de bizarro e interessante; o rapaz perdeu-se por um momento, especulando sobre quem teriam sido essas vítimas e sobre o desejo sinistro do juiz de manter tão medonha relíquia sob suas vistas. Em suas mãos, a corda continuava balançando, vez por outra, ao sabor do gingar do sino, no telhado; entrementes, surgiu uma nova sensação — uma espécie de tremor na corda, como se alguma coisa a percorresse.

Por instinto, Malcolmson olhou para cima e viu o rato enorme descendo lentamente em sua direção, encarando-o fixamente. Ele largou a corda e deu um pulo para trás, murmurando um palavrão, e o rato virou-se, correu corda acima mais uma vez e desapareceu, e no mesmo instante Malcolmson notou que o barulho dos ratos, que tinha cessado por um tempo, recomeçara.

Toda a cena o deixou pensativo, e ocorreu-lhe que ele ainda não tinha investigado o lar do rato nem examinado os quadros, como pretendera. Acendeu a outra lamparina sem a cobertura e, erguendo-a, parou diante do terceiro quadro a contar da lareira, na parede à direita, onde vira o rato desaparecer na noite anterior.

Assim que olhou, deu um pulo para trás tão repentino que quase derrubou a lamparina, e um palor mortal espalhou-se por seu rosto. Seus joelhos vacilavam, gotas densas de suor formaram-se em sua testa, e ele tremia feito vara verde. Contudo, era um rapaz jovem e valente, e logo se recompôs. Após uma pausa de alguns segundos, deu um passo adiante, ergueu a lamparina e examinou o quadro que fora espanado e limpo, e agora se destacava com evidência.

A pintura retratava um juiz de manto vermelho e branco. O rosto era forte e implacável, malvado, astuto e rancoroso, com boca voluptuosa e nariz adunco avermelhado que mais lembrava o bico de uma ave de rapina. O restante da face tinha coloração cadavérica. Os olhos emitiam um brilho peculiar e uma expressão terrivelmente maligna. Ao olhar para eles, Malcolmson ficou gélido, pois viu ali a cópia perfeita dos olhos do rato enorme. A lamparina quase se soltou de sua mão, ele viu o rato, com seus olhos malignos espiando pelo buraco no canto do quadro, e notou o cessar súbito do barulho dos outros ratos. Entretanto, recobrou a compostura e prosseguiu com o exame do quadro.

O juiz estava sentado numa grande cadeira de carvalho de encosto alto e ornado, ao lado direito de uma robusta lareira onde, no canto, pendia uma corda do teto, cuja ponta jazia enrolada no piso. Com uma sensação de horror, Malcolmson reconheceu na cena a sala em que estava, e olhou aterrado ao redor como se esperasse encontrar uma presença estranha atrás de si. Depois olhou para o canto da lareira — e com um berro deixou a lamparina cair da mão.

Ali, na poltrona do juiz, com a corda pendurada logo atrás, estava o rato com os olhos malignos do homem, agora mais intensos e com um desdém diabólico. A não ser pelo bramir da tempestade lá fora, reinava o silêncio.

A queda da lamparina fez Malcolmson voltar a si. Felizmente, era feita de metal, então o óleo não derramou. Contudo, a necessidade prática de lidar com ela aquietou no mesmo instante a apreensão e o nervosismo. Assim que a apagou, o rapaz passou a mão na testa e pôs-se a pensar.

— Assim não vai dar — disse consigo. — Se eu continuar deste jeito, ficarei maluco. Isso tem de parar! Prometi ao médico que não tomaria chá. Ora, ele estava certo! Meus nervos devem estar funcionando mal. Engraçado eu não ter notado. Nunca me senti melhor em toda a minha vida. Mas isso é tudo, por ora, e não mais bancarei o bobo.

Preparou, então, uma dose forte de xerez com água e sentou-se resoluto para estudar.

Passara-se quase uma hora quando ele tirou os olhos do livro, perturbado pela súbita quietude. Lá fora, o vento bramia e rugia mais alto do que nunca, e a chuva descia feito uma cortina pelas janelas, açoitando o vidro como granizo, mas dentro não se ouvia som algum, a não ser o eco do vento que rugia pela grande chaminé, e vez por outra um chiado, quando algumas gotas de chuva desciam pela chaminé no momento em que a tempestade se acalmava. O fogo diminuíra muito e já não ardia mais em chamas, embora ainda projetasse um brilho avermelhado. Malcolmson aguçou os ouvidos e escutou um barulho agudo e fino, muito fraco. O barulho vinha do canto da sala onde pendia a corda, e ele achou que fosse o raspar da corda no piso, conforme o balançar do sino a erguia e baixava. Quando olhou para cima, no entanto, viu, sob a fraca luz, o grande rato grudado na corda, roendo. A corda estava prestes a se romper — dava para ver a cor mais clara onde os fios estavam expostos. Sob suas vistas, o trabalho foi concluído, e a ponta cortada da corda caiu ruidosamente no piso de carvalho, enquanto por um instante o enorme rato permaneceu, feito um puxador ou um pendão, na ponta da corda, que começou a balançar daqui para lá. Malcolmson sentiu, por um momento, outra pontada de horror ao pensar que a possibilidade de chamar alguém do mundo exterior para ajudá-lo tinha sido extirpada, mas uma raiva intensa tomou seu lugar; ele pegou o livro que estava lendo e arremessou-o no rato. O ataque foi bem direcionado, porém, antes que o projétil pudesse alcançá-lo, o rato soltou-se e caiu no chão com um baque suave. Malcolmson lançou-se para ele no mesmo instante, mas o bicho disparou e desapareceu na escuridão das sombras da sala. Malcolmson achou que sua sessão de estudos dessa noite estava encerrada, então resolveu variar a monotonia dos procedimentos fazendo uma caça ao rato, removendo a cobertura esverdeada da lamparina para garantir luminosidade mais abrangente. Feito isso, a escuridão da porção superior da sala foi vencida, e, sob a recente enxurrada de luz, grandiosa em comparação com as trevas anteriores, os quadros na parede destacaram-se, ousados. De onde estava, Malcolmson viu, exatamente oposto a ele, o terceiro quadro na parede, à direita da lareira. Surpreso, esfregou os olhos, e um grande medo começou a dominá-lo.

No centro do quadro havia uma grande porção irregular de tela marrom, tão nova quanto do momento em que fora esticada na moldura. O cenário era o mesmo de antes, com cadeira, canto da lareira e corda, mas a imagem do juiz desaparecera.

Malcolmson, quase congelado de horror, virou-se lentamente, e então começou a tremer e chacoalhar feito um homem tendo um ataque. Suas forças pareceram abandoná-lo, e ele viu-se incapaz de ação ou movimento, e até de pensar. Só podia ver e ouvir.

Na grande cadeira de carvalho de encosto alto e ornado estava sentado o juiz, com seu manto vermelho e branco, encarando-o com olhos malignos e vingativos, e um sorriso de triunfo formou-se em sua boca cruel e resoluta quando ele ergueu nas mãos um chapéu preto. Malcolmson teve a sensação de que o sangue escapava-lhe do coração, como acontece a alguém em momentos de prolongado suspense. Tinha um zumbido nos ouvidos. Lá fora dava para ouvir o rugir e bramir do vendaval, e, no meio disso tudo, varrido pela tempestade, o som dos grandes sinos do mercado da cidade anunciando a meia-noite. Por um espaço de tempo que lhe pareceu interminável, o rapaz ficou duro feito estátua, olhos escancarados, tomados de horror, sem fôlego. Com o soar das horas, cresceu o sorriso de triunfo no rosto do juiz, e, na última badalada da meia-noite, ele colocou o chapéu na cabeça.

Lenta e deliberadamente o juiz levantou-se da cadeira e pegou o pedaço de corda do sino que jazia no piso, passou-o pelas mãos, como se apreciasse o toque, e deliberadamente começou a dar um nó numa das pontas, como se faz para a forca. Ele apertou e testou o nó com o pé, puxando forte até estar satisfeito com o jeito como deslizava; depois o abriu bem e segurou na mão. E começou a dar passos ao longo da mesa, do lado oposto ao de Malcolmson, sem tirar os olhos dele, até passar por ele, e, num rápido movimento, parou em frente à porta. Malcolmson teve, então, a sensação de que estava preso, e procurou pensar no que poderia fazer. Havia certo tom de fascinação nos olhos do juiz, que jamais deixavam o rapaz, que era forçado a olhar de volta. Ele viu o juiz aproximar-se — ainda se mantendo entre ele e a porta — e erguer o nó para arremessá-lo, como se quisesse entrelaçar o rapaz. Com grande esforço, ele pulou rápido para o lado e viu a corda cair do outro, fazendo um baque contra o piso de carvalho. Mais uma vez o juiz ergueu o laço e tentou capturar o rapaz, o tempo todo com seus olhos malignos fixos nele, e a cada vez, com esforço estupendo, o estudante conseguiu esquivar-se. A cena repetiu-se diversas vezes; o juiz jamais parecia desencorajado ou descomposto ao falhar, pois brincava como um gato brinca com um rato. Finalmente, no desespero, que chegara ao clímax, Malcolmson olhou de relance ao redor. A lamparina parecia ter pegado fogo, e havia uma luminosidade razoável na sala. Nas muitas tocas e nas muitas fendas e fissuras do lambril ele viu os olhos dos ratos; esse aspecto puramente físico deu-lhe um pouco de conforto. Olhando num canto, ele viu que a corda do sino estava lotada de ratos. Os bichinhos cobriam cada centímetro, e muitos mais escapavam pelo pequeno buraco circular no teto de onde emergia a corda, de modo que, com todo esse peso, o sino começava a balançar.

Ótimo! O sino balançou a ponto de o badalo tocar o metal. O som produzido foi muito discreto, mas o sino apenas começava a balançar, e logo faria mais barulho.

Ao ouvir o som, o juiz, que vinha mantendo os olhos fixos em Malcolmson, olhou para cima, e uma carranca de raiva diabólica espalhou-se em seu rosto. Seus olhos brilhavam feito carvão em brasa, e ele batia os pés com tanto ruído que dava a impressão de que chacoalhava a casa. O terrível estrondo de um trovão irrompeu lá no alto quando ele ergueu mais uma vez o laço; os ratos continuavam subindo e descendo pela corda, como se trabalhassem contra o tempo. Dessa vez, em vez de lançar a corda, o juiz aproximou-se da vítima, trazendo consigo o laço aberto. Quanto mais perto ele chegava, mais evidente ficava que havia algo de paralisante em sua presença, e Malcolmson ficou petrificado feito um cadáver. Ele sentiu os dedos gelados do juiz tocando sua garganta ao ajustar a corda. O laço foi apertado — e mais apertado. Então o juiz pegou nos braços o corpo rígido do estudante, carregou-o e colocou-o de pé na cadeira de carvalho. Dando um passo ao lado, ergueu a mão e pegou a ponta da corda do sino, que balançava. Quando ele ergueu a mão, os ratos fugiram, guinchando, e desapareceram pelo buraco no teto. O juiz pegou a ponta do laço que envolvia o pescoço de Malcolmson, amarrou-a à corda do sino, desceu e derrubou a cadeira.

Quando o sino da casa do juiz começou a badalar, uma multidão logo se reuniu. Luzes e tochas dos mais diversos tipos apareceram, e em pouco tempo uma procissão silenciosa avançava às pressas para o local. Bateram ruidosamente na porta, mas não veio resposta. Então arrombaram a porta e invadiram feito enchente a grande sala de jantar, o médico à frente.

Na ponta da corda do grande sino, pendia o corpo do estudante. No quadro, reluzia no rosto do juiz um sorriso maligno.

A ÍNDIA

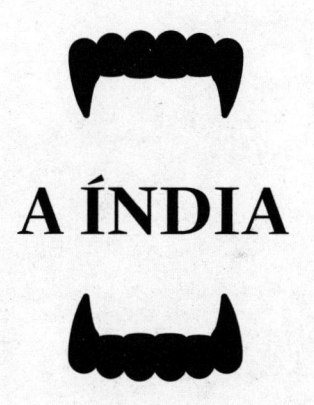

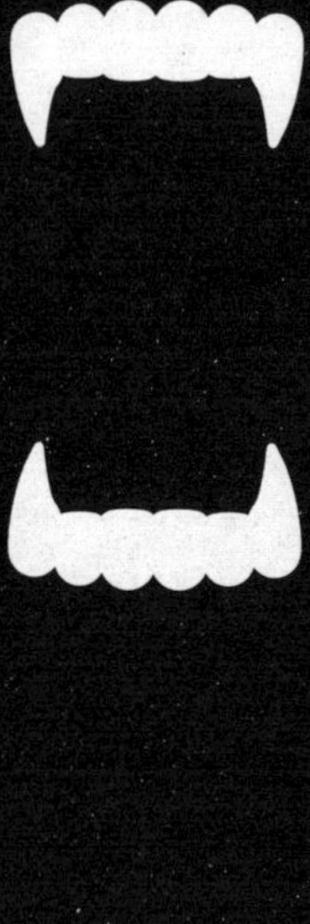

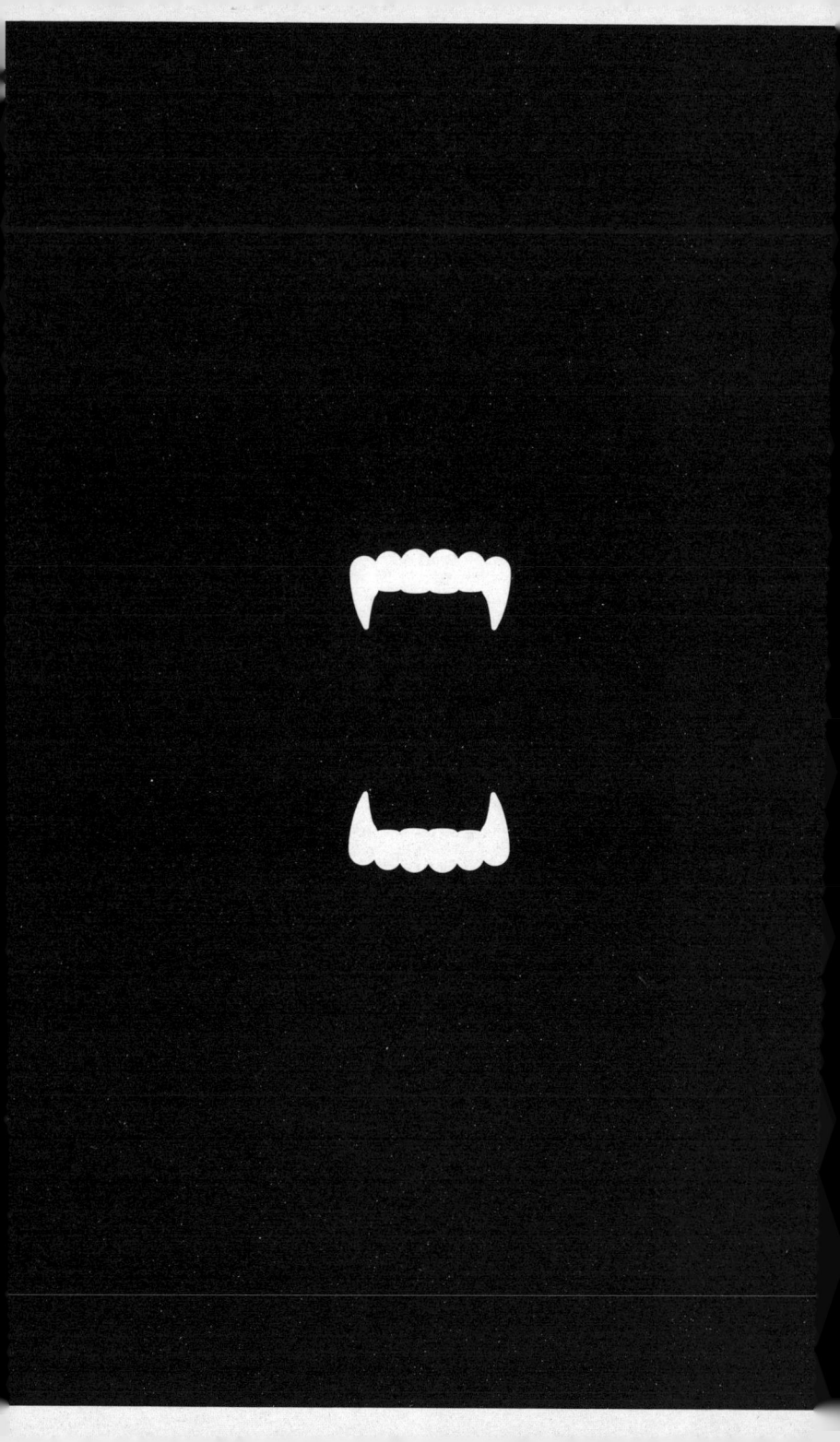

NUREMBERG, NA ÉPOCA, NÃO ERA tão explorada quanto vem sendo desde então. Irving não encenava o Fausto, e o próprio nome da cidadezinha era pouco conhecido da maioria do público viajante. Minha esposa e eu, na segunda semana de nossa lua de mel, naturalmente queríamos que mais gente se unisse a nós, de modo que, quando o animado Elias P. Hutcheson, vindo da cidade de Isthmian, Bleeding Gulch, condado de Maple Tree, Nebraska, apareceu na estação de Frankfurt e comentou casualmente que estava indo ver a cidade mais capenga e antiquada da Europa, e que achava que todo aquele viajar sozinho bastava para relegar qualquer cidadão ativo e inteligente à ala dos deprimidos de um hospício, nós captamos a óbvia insinuação e sugerimos que juntássemos as forças. Constatamos, ao comparar nossas anotações mais tarde, que nós dois pretendíamos falar com certo acanhamento ou hesitação para não parecermos ávidos demais — e não muito animados com relação ao sucesso de nossa vida de casados —, mas o efeito foi totalmente arruinado quando ambos desatamos a falar no mesmo instante — e paramos ao mesmo tempo e prosseguimos juntos mais uma vez. Enfim, seja lá como se deu, deu-se, e Elias P. Hutcheson juntou-se a nós. De imediato, Amélia e eu constatamos o agradável benefício; em vez de brigar, como vínhamos fazendo, reparamos que a influência restritiva de uma terceira presença era tal que aproveitávamos cada oportunidade que tínhamos de nos agarrar nos cantinhos mais inusitados. Amélia afirma que, desde então, como resultado da experiência, vem aconselhando a todas as amigas que levem um amigo consigo na lua de mel. Bem, visitamos Nuremberg juntos, e apreciamos muito os comentários atrevidos de nosso amigo transatlântico, que, dada a fala exótica e o estoque maravilhoso de aventuras, poderia muito bem ter saído de um romance. Deixamos o castelo como último ponto de interesse a ser visitado na cidade, e, no dia programado para a visita, passeamos ao longo da murada exterior da cidade, pelo lado oriental.

O castelo assenta-se numa rocha no ponto mais alto da cidade e um fosso muito profundo o protege pelo lado norte. Nuremberg orgulha-se de nunca ter sido saqueada; se tivesse sido, certamente não seria tão nova em folha e perfeita como é atualmente. O fosso não era usado fazia séculos, e agora sua base é recoberta por jardins e pomares, nos quais algumas das árvores cresceram a alturas respeitáveis. Passeando ao longo do muro, apreciando o sol quente de julho, paramos várias vezes para admirar os panoramas que se estendiam à nossa frente, especialmente a vasta planície coberta de cidades e vilarejos, envolta por uma bela fileira de morros, como uma paisagem de Claude Lorraine. Dessas paradas, sempre voltávamos com alegria renovada para a cidade em si, com sua miríade de antigos frontões exóticos e largos telhados avermelhados pontilhados de lucarnas, fileira após fileira. Um pouco à nossa direita erguiam-se as torres do castelo; ainda mais perto, imponente e sinistra, ficava a Torre da Tortura, que era, e talvez ainda seja, o local mais interessante da cidade. Durante séculos, a tradição da Dama de Ferro de Nuremberg foi transmitida como exemplo dos horrores da crueldade de que o homem é capaz; por muito tempo ansiamos por vê-la, e ali estava, finalmente, o seu lar.

Numa de nossas pausas, reclinamo-nos sobre a murada do fosso e olhamos lá para baixo. O jardim parecia ficar uns quinze ou vinte metros abaixo de nós, e o sol o banhava com um calor intenso e inerte, como o de um forno. Além dele erguia-se a parede cinzenta e lúgubre de altura que parecia não ter fim, a perder de vista, à direita e à esquerda, nos ângulos de bastião e contraescarpa. Árvores e arbustos coroavam a parede, e além dela reinavam as casas elevadas em cuja incrível beleza o tempo deitara somente o toque da aprovação. O sol estava quente, e nós, com preguiça; tínhamos todo o tempo do mundo, e por ali ficamos, recostados no muro. Logo abaixo de nós avistamos a coisa mais fofa — uma bela gata preta espreguiçava-se ao sol, e, junto dela, saltitava gracioso um gatinho preto. A mãe balançava a cauda para o gatinho brincar ou erguia a pata e empurrava o pequeno como se o encorajasse a brincar. Estavam bem aos pés do muro, e Elias P. Hutcheson, no intuito de ajudar na brincadeira, reclinou-se e pegou do chão uma pedrinha de tamanho razoável.

— Vejam! — disse ele. — Vou jogar perto do gatinho, e os dois vão ficar curiosos para saber de onde veio.

— Ah, tome cuidado — disse a minha esposa —; vai acabar acertando o pobrezinho!

— Não vou, não, senhora — disse Elias P. — Ora, eu sou praticamente uma flor. Fique tranquila. Eu não faria mal àquela fofurinha mais do que faria a um bebê. Pode apostar suas meias floridas nisso! Veja, vou largar bem longe, para fora, para não chegar perto dela!

Dizendo isso, o homem debruçou-se no muro, estendeu o braço o mais que pôde e soltou a pedra. Pode ter sido alguma força de atração que puxa matéria menor para a maior, ou, mais provavelmente, que o muro não fosse curvo, mas inclinado até a base — sem que notássemos a inclinação de cima —, mas a pedra caiu, com um baque repugnante que subiu até nós pelo ar quente, bem na cabeça do gatinho, espalhando seus miolos no chão. A gata preta lançou um rápido olhar para o alto, e vimos seus olhos como chamas esverdeadas fixados por um instante em Elias P. Hutcheson; em seguida, ela deu atenção ao filhote, que jazia imóvel, com apenas um tremor discreto dos pequenos membros, e um fino fio de líquido vermelho vazava do ferimento aberto. Soltando um gemido abafado, como teria feito um ser humano, a gata curvou-se sobre o gatinho e ficou lambendo o ferimento, miando. Subitamente, ela pareceu reparar que o filhote estava morto, e mais uma vez lançou um olhar em nossa direção. Nunca me esquecerei da cena, pois a gata parecia a perfeita encarnação do ódio. Seus olhos verdes cintilavam com brilho lúgubre, e os dentes brancos e afiados pareciam quase reluzir por trás do sangue que encobria sua boca e bigodes. Ela mostrou os dentes, e as garras estenderam-se, poderosas, em todo o seu comprimento, em todas as patas. Então ela saltou para o muro como se para nos alcançar, mas quando perdeu o impulso, caiu para trás, o que piorou ainda mais sua terrível aparência, pois caiu em cima do gatinho e levantou-se com os pelos negros manchados de miolos e sangue. Amélia ficou meio zonza, e tive que erguê-la do muro. Havia um banco ali perto, sob a sombra de um amplo plátano, e ali eu a coloquei para que se recompusesse. Depois voltei para Hutcheson, paralisado feito estátua, olhando para a gata injuriada lá em baixo.

Quando cheguei, ele me disse:

— Ora, essa aí deve ser a fera mais selvagem que já vi na vida... a não ser pela índia apache que ficou furiosa com um mestiço que chamavam de "Lasca", por ter dado cabo do filho dela, que sequestrara de tocaia, só para mostrar que tinha adorado o modo com que haviam torturado sua mãe na fogueira. Ela tinha esse mesmo olhar bondoso que você vê ali. Ela seguiu Lasca por mais de três anos, até que os guerreiros o pegaram e entregaram a ela. Disseram que ninguém, nem branco, nem índio, demorou tanto para morrer sob a tortura dos apaches. A única vez que a vi sorrir foi quando dei cabo dela. Cheguei à aldeia bem a tempo de ver Lasca bater as botas, e o pobre também não ligou muito de partir. Era um bom cidadão, e embora eu jamais tenha me esquecido dessa história, de tão terrível que foi, e o rapaz devia ser branco, pois parecia muito, achei que ele foi vingado. Foi uma loucura, mas peguei um pedaço da pele dele num dos postes de esfola e mandei fazer um caderninho. Está aqui comigo! — E o homem deu um tapinha no bolso do casaco.

Enquanto ele falava, a gata prosseguia com seus esforços frenéticos para escalar o muro. Corria para trás para dar impulso, alcançando incríveis alturas vez por outra. Não parecia importar-se com a pesada queda que ocorria todas as vezes, pois repetia tudo com renovado vigor, e a cada queda sua aparência ficava ainda mais horrenda. Hutcheson era um homem de bom coração — minha esposa e eu notamos pequenos gestos de bondade para com animais, e também pessoas — e parecia preocupado com o estado de fúria em que se encontrava a gata.

— Mas que coisa — disse ele. — Não há dúvida de que a pobre parece desesperada. Pronto! Pronto, coitadinha... foi só um acidente... embora dizer isso não vá trazer seu pequeno de volta. Ah, mas eu jamais quis que isso acontecesse! Só serve para mostrar o que um bobalhão pode causar quando faz uma brincadeira! Sou tão estabanado que não sirvo nem para brincar com um gato. Diga, coronel — ele tinha esse jeito divertido de dar títulos às pessoas —, espero que sua esposa não fique chateada comigo por causa desse infortúnio. Ora, eu jamais quis que acontecesse, de modo algum!

Ele foi até Amélia e desculpou-se profusamente, e ela, com seu coração bondoso de sempre, assegurou-lhe depressa que compreendia que tudo não passara de um acidente. Voltamos todos para o muro e olhamos lá para baixo.

A gata, não vendo mais o rosto de Hutcheson, afastara-se um pouco no fosso e estava sentada nas patas traseiras, como se pronta para saltar. De fato, no mesmo instante em que o viu, ela saltou, e com fúria cega e irracional, algo grotesco de se imaginar, exceto por ser tão assustadoramente real. Ela não tentava escalar o muro; apenas se lançava para ele como se o ódio e a fúria pudessem emprestar-lhe asas para cobrir a grande distância que a separava do algoz. Amélia, mais sensível, ficou muito preocupada, e disse a Elias P., num tom de alerta:

— Ah, você precisa ter muito cuidado. Esse animal tentaria matá-lo se estivesse aqui; está furiosa feito um verdadeiro assassino.

Jovial, Elias P. caiu no riso.

— Perdoe-me, senhora — disse ele —, mas não pude conter o riso. Imagine um homem que já lutou com ursos e índios ter que se preocupar em ser morto por uma gata!

Quando a gata ouviu-o rir, todo o seu comportamento pareceu mudar. Não tentou mais pular ou escalar o muro; foi calmamente sentar-se ao lado do gatinho morto, que começou a lamber e afagar como se ainda estivesse vivo.

— Viu? — disse eu. — Esse é o efeito que exerce um homem forte de verdade. Até mesmo esse bicho, no meio daquela fúria toda, reconhece a voz de um mestre e curva-se diante dele!

— Como uma índia! — foi o único comentário de Elias P. Hutcheson, e pusemo-nos a caminhar ao longo do fosso da cidade.

Vez por outra olhávamos por cima do muro e sempre víamos a gata nos seguindo. No começo, ainda voltava para perto do gatinho morto; conforme nos distanciamos mais, ela o trouxe na boca para nos seguir. Após um tempo, contudo, desistiu, pois vimos que nos seguia sozinha; claro que escondera o corpo em algum lugar. Amélia ficou ainda mais alarmada diante da persistência da gata, e mais de uma vez repetiu seu aviso, mas o americano sempre ria, achando muita graça, até que, finalmente, vendo que ela começava a ficar seriamente preocupada, disse:

— Veja, senhora, não precisa ficar preocupada por causa da gata. Eu me protejo, veja! — Deu um tapinha no coldre com a pistola que guardava na região da lombar. — Ora, se for para a senhora ficar preocupada, eu atiro agora mesmo no bicho, mesmo correndo o risco de a polícia encasquetar com um cidadão dos Estados Unidos por portar armas, contra a lei! — Ao falar, olhou por cima do muro, mas a gata, ao vê-lo, recuou, com um ronronar, para um canteiro de flores altas e ali se escondeu. Ele prosseguiu: — Que bom que o bicho tem mais bom senso do que a maioria dos cristãos. Acho que não vai mais incomodar! Aposto que vai voltar para o gatinho estropiado e fazer um funeral particular.

Amélia não quis dizer mais nada, receosa de que o homem, por bondade equivocada para com ela, cumprisse a ameaça de atirar na gata. Prosseguimos, então, e atravessamos a pequena ponte de madeira que dava para o portão, além da trilha íngreme que unia o castelo à Torre da Tortura. Quando atravessávamos a ponte, vimos mais uma vez a gata abaixo de nós. Quando nos viu, sua fúria pareceu retornar, e ela exerceu esforços frenéticos para escalar o muro. Hutcheson ria, olhando para ela, e disse:

— Adeus, menina. Perdoe-me por tê-la magoado, mas logo você supera! Até mais!

Passamos, então, pelo comprido e escuro túnel e chegamos ao portão do castelo.

Quando terminamos a visita a tão belo lugar, que nem mesmo os esforços bem-intencionados dos restauradores góticos de quarenta anos atrás conseguiram estragar — embora sua restauração fosse de um branco brilhante —, parecíamos ter praticamente esquecido o episódio desagradável da manhã. O antigo limoeiro, com seu tronco enorme retorcido pelo passar de quase nove séculos, o poço profundo aberto bem no coração das rochas pelos prisioneiros do passado e a adorável vista da muralha da cidade, que admiramos sob o soar dos diversos sinos por quase um quarto de hora, ajudaram a livrar nossas mentes do incidente do gatinho morto.

Fomos os únicos visitantes a entrar na Torre da Tortura nessa manhã — pelo menos foi o que nos disse o velho zelador —, e, como tínhamos o lugar todo para nós, pudemos passar mais tempo pesquisando do que teria sido possível em outras circunstâncias. O zelador, vendo-nos como a única fonte de ganhos do dia, dispôs-se a realizar todas as nossas vontades. A Torre da Tortura é realmente um lugar sinistro, mesmo agora que milhares de visitantes haviam trazido um pouco de vida, e da alegria que vem com ela, para o local; contudo, nessa época que agora relato, ela ostentava seu aspecto mais sinistro e macabro. A poeira de séculos parecia ter ali assentado, e o pesadelo e o horror de suas memórias pareciam ter se tornado de tal modo sencientes que teriam satisfeito as almas panteísticas de Fílon e Espinosa. A câmara inferior na qual entramos parecia, em seu estado natural, permeada pela escuridão encarnada; até mesmo a cálida luz solar que entrava pela porta parecia se perder na vasta espessura das paredes, e apenas revelava a alvenaria rústica, como deixada pelo construtor assim que baixara os andaimes, mas coberta de poeira e marcada aqui e ali por manchas escuras que, se as paredes pudessem falar, poderiam contar suas lembranças horrendas de medo e dor. Ficamos contentes por finalmente passar da empoeirada escadaria de madeira; o zelador deixou a porta aberta para iluminar um pouco o nosso caminho, pois, para nossos olhos, a única vela, comprida e malcheirosa, fincada numa arandela na parede, concedia luz inadequada. Quando cruzamos a abertura da escada, no canto da câmara, Amélia agarrou-me com tanta força que pude sentir seu coração bater. Devo dizer que não fiquei surpreso por ela ter medo; esse cômodo era ainda mais medonho que o inferior. Havia ali, certamente, mais luz, mas apenas o bastante para que pudéssemos assimilar o ambiente horrendo. Os construtores da torre evidentemente planejaram tudo para que somente eles, que podiam alcançar o topo, tivessem o luxo de luz e vista. Como havíamos notado lá de baixo, havia ali uma quantia boa de janelas, embora pequenas e medievais, mas nos outros pontos da torre havia somente fendas muito estreitas, do tipo que costuma existir em locais projetados para a defesa. Algumas destas iluminavam parcamente a câmara, e lá do alto da parede, de modo que não havia ponto em que fosse possível ver o céu além das grossas paredes. Sobre cavaletes, e encostadas em desordem nas paredes, havia diversas espadas de carrasco, grandes armas de punho duplo com lâmina larga e fio aguçado. Bem ao lado viam-se os muitos blocos sobre os quais deitaram os pescoços das vítimas, com sulcos profundos aqui e ali onde o aço mordiscara, atravessando a carne e açoitando a madeira. Por toda a câmara, dispostos nos modos mais irregulares, jazia todo tipo de implementos de tortura cuja mera vista provocava uma dor no peito — cadeiras cheias de espinhos que causavam dor imediata e excruciante; cadeiras e poltronas com calombos cuja tortura parecia menos cruel, embora fosse, apesar de mais lenta, igualmente eficaz; estruturas, cintos, botas, luvas, colares, todos feitos para comprimir; cestas de aço nas quais a cabeça podia ser lentamente esmagada até virar uma polpa, caso necessário; ganchos de relojoeiro, com punho e gume compridos, bons para cortar material resistente — especialidade do antigo sistema de polícia de Nuremberg; e muitos, muitos outros aparelhos inventados pelas pessoas para maltratar pessoas. Amélia ficou bastante pálida com o horror de tudo isso, mas felizmente não desmaiou; um tanto atordoada, sentou-se numa cadeira de tortura, mas ficou de pé num pulo, soltando um gritinho, resolvida a vontade de desmaiar. Todos nós fingimos que o problema era a sujeira no vestido, por causa do pó da cadeira, e os espinhos afiados que a incomodaram, e o sr. Hutcheson concordou em aceitar a explicação com uma risada gentil.

Contudo, o objeto central em toda essa câmara dos horrores era o equipamento conhecido como Dama de Ferro, que ficava mais para o centro do cômodo. Era uma representação tosca de mulher, algo mais parecido com um sino, ou, numa comparação mais justa, similar à imagem da sra. Noé nos livros infantis sobre a Arca, mas sem a cinturinha fina e o contorno perfeito dos quadris que marcam a estética da família do personagem bíblico. Seria difícil reconhecer o objeto como projetado para remeter a um ser humano não fosse o artesão ter talhado no topo um semblante grosseiro de mulher. O aparelho estava todo enferrujado por fora e coberto de poeira; uma corda amarrada num anel na porção frontal da figura, perto do que se poderia considerar como a cintura, passava por uma polia e terminava no pilar de madeira que sustentava o teto acima. Puxando essa corda, o zelador mostrou que uma porção da tampa tinha dobradiças como as de uma porta; vimos, então, que era um invólucro de espessura considerável, com espaço no interior para caber apenas uma pessoa. A porta era da mesma espessura, e muito pesada, pois requisitou do zelador toda a sua força, mesmo com o recurso da polia, para abrir. Esse peso todo se devia em parte ao fato de que a porta fora propositalmente pendurada para jogar seu peso para baixo, de modo que se fechasse por conta própria uma vez liberada a tensão na corda. O interior estava tomado de ferrugem — melhor dizendo, a ferrugem resultante do tempo não teria carcomido tão profundamente o invólucro de ferro; a ferrugem das marcas de crueldade era muito mais profunda! Contudo, foi somente quando olhamos no verso da porta que a intenção diabólica do aparelho ficou evidente. Ali havia diversos espetos compridos, grossos e quadrados, amplos na base e afiados nas pontas, alocados de tal maneira que, fechada a porta, os do alto fincariam os olhos da vítima, e os de baixo, seu coração e órgãos vitais. A imagem foi demais para a pobre Amélia, e dessa vez ela desmaiou mesmo, e tive que carregá-la escada abaixo e depositá-la num banco para recuperar-se. Tamanha emoção foi comprovada mais tarde pelo fato de meu filho mais velho carregar até hoje uma feia marca de nascença no peito, que toda a família concorda ser a representação da Virgem de Nuremberg.

    Quando retornamos ao cômodo, encontramos Hutcheson ainda defronte à Dama de Ferro; ele passara o tempo todo em evidente filosofar, pois nos concedeu o prazer de conhecer suas ideias apresentadas numa espécie de exórdio.

    — Bom, acho que aprendi alguma coisa aqui, enquanto a senhora se recuperava do desmaio. Pelo visto, estamos bastante atrasados no nosso lado do Atlântico. Podemos até achar que os índios ganhariam pontos para nós no quesito perturbar pessoas, mas acho que os agentes da lei dos tempos medievais lhes dariam uma coça a cada embate. Lasca foi muito ardiloso no blefe para cima da índia, mas essa moça aqui lhe meteria um *straight flush* bem nas fuças. As pontas dos espetos continuam afiadas, mesmo com as beiradas carcomidas pelo que nelas se alojou. Seria uma boa ideia nosso departamento indígena arranjar uns modelos desse brinquedinho e mandar para as reservas, só para botar medo nos índios, e nas índias também, mostrando como a civilização antiga ganha de dez a zero. Acho que vou entrar na caixa só um minutinho para ver qual é a sensação!

— Oh, não, não! — disse Amélia. — Que coisa terrível!

— Olha, senhora, nada é tão terrível assim para a mente do explorador. Já estive nos lugares mais esquisitos. Passei a noite dentro de um cavalo morto enquanto o fogo varria uma pradaria no Território de Montana... e noutra vez dormi dentro de um búfalo quando os comanches avançavam guerreando e eu não quis dar uma cartada neles. Passei dois dias num túnel soterrado na mina de ouro de Billy Broncho, no Novo México, e fui um dos quatro presos por três quartos de dia numa caixa-forte que tombou de lado quando deitávamos a fundação da Ponte de Buffalo. Nunca me acovardei diante de uma experiência insana, e não pretendo começar agora!

Vimos que ele estava determinado a realizar o experimento, então eu disse:

— Bem, ande com isso, meu velho, e termine logo!

— Tudo bem, general — disse ele —, mas receio que ainda não estamos prontos. Os cavalheiros, meus antecessores, que entraram nesse caixão não se voluntariaram para tanto... nem um pouco! E imagino que davam uma amarrada na pessoa antes do golpe final. Quero entrar na geringonça direitinho, então preciso me arrumar primeiro. Suponho que o bobalhão aí possa arranjar um pouco de corda e me arrumar como de costume.

Isso foi dito com ares de interrogação para o velho zelador, mas este, entendendo os meandros da fala, embora talvez não apreciando de todo as firulas de dialeto e retórica, fez que não. O protesto, contudo, foi apenas formal e pensado para ser contraposto. O americano meteu-lhe na mão uma moeda de ouro, dizendo:

— Tome, parceiro! É todo seu. E não tenha medo. Não estou contratando você para atender mesas numa festa a rigor.

O homem encontrou um pedaço de corda desfiada e pôs-se a amarrar nosso companheiro apertado o bastante para o intento. Vendo a porção superior do corpo amarrada, disse Hutcheson:

— Espere um minuto, juiz. Acho que sou pesado demais para você enfiar no caixão. Deixe que eu entre primeiro, e depois pode mandar brasa nas minhas pernas!

Enquanto falava, nosso amigo enfiou-se no invólucro com espaço quase insuficiente para ele. Mais um pouco e não caberia. Amélia via tudo com medo estampado no olhar, mas evidentemente não quis dizer nada. O zelador terminou a tarefa, amarrando os pés do americano de modo que este ficou completamente incapacitado e fixo em sua prisão voluntária. Ele parecia estar adorando, e o sorriso incipiente que costumava ter no rosto floresceu quando disse:

— Será que esta Eva aqui foi criada a partir da costela de um anão? Não tem muito espaço para comportar um cidadão norte-americano adulto. Temos que fazer nossos caixões com mais espaço no território de Idaho. Agora, seu juiz, pode começar a baixar a porta, devagarinho, em cima de mim. Quero sentir o mesmo prazer que os outros sentiram quando esses espetos começaram a chegar perto de seus olhos!

— Oh, não, não, não! — Amélia soltou, histérica. — Que coisa mais horrorosa! Não posso nem ver! Não posso!

Contudo, o americano estava obstinado.

— Ei, coronel — disse ele —, que tal levar a madame para um passeio? Não quero ofendê-la por nada neste mundo, mas, agora que estou aqui, tendo viajado mais de doze mil quilômetros, não seria muito triste desistir da experiência que venho desejando há tanto tempo? Não é todo dia que a pessoa pode se sentir como sardinha enlatada! Eu e o juiz aqui vamos terminar a brincadeira rapidinho, e depois vocês voltam e podemos rir de tudo isso juntos!

Mais uma vez, a determinação nascida da curiosidade triunfou, e Amélia ficou por ali mesmo, agarrada firme no meu braço, se tremendo toda, e o zelador começou a soltar lentamente, centímetro por centímetro, a corda que segurava a porta de ferro. Hutcheson ficou definitivamente radiante quando viu o primeiro movimento dos espetos.

— Nossa! — disse ele. — Acho que não me divirto assim desde que saí de Nova York. Tirando uma altercação com um marinheiro francês em Wapping, que não foi diversão das melhores, não tive sequer um segundo de alegria neste continente maldito, onde não tem bar nem índio, e nenhum homem anda armado. Calma lá, seu juiz! Não precisa ter pressa! Quero fazer valer a pena... quero muito!

O zelador devia ter, correndo nas veias, um pouco do sangue de seus antepassados daquela torre macabra, pois operava o aparelho com uma lentidão deliberada e excruciante que, após uns cinco minutos nos quais a beirada da porta não se moveu nem quinze centímetros, começou a sobrepujar Amélia. Vi seus lábios empalidecendo e senti suas mãos no meu braço relaxando. Olhei ao redor num segundo, em busca de um lugar no qual deitá-la; quando olhei de volta para ela, percebi que seu olhar fixara-se ao lado da Dama de Ferro. Acompanhando-o, vi a gata preta agachada ali, quase fora de vistas. Seus olhos verdes brilhavam feito lamparinas na escuridão do local, e a cor destacava-se em meio ao sangue que ainda encobria seus pelos e corava sua boca. Então exclamei:

— A gata! Cuidado com a gata!

No mesmo instante, ela saltou para o aparelho, parecendo mais um demônio triunfante. Os olhos reluziam de ferocidade, os pelos ergueram-se tanto que ela parecia ter o dobro do tamanho, e a cauda açoitava como a de um tigre quando tem um confronto pela frente. Elias P. Hutcheson, quando a viu, achou muito curioso, e seus olhos brilhavam de animação quando disse:

— E não é que a índia fez toda a sua pintura de guerra? Só lhe dê um chute se ela vier com algum truque para cima de mim, pois fui tão bem amarrado para sempre pelo chefe aqui que aposto meu couro que não consigo defender meus olhos se ela os quiser arrancar! Calma lá, juiz! Não solte essa corda, ou estou frito!

Nesse momento, Amélia completou o desmaio, e tive que agarrá-la pela cintura, ou ela teria caído no chão. Enquanto cuidava dela, vi a gata preta agachando para pegar impulso e saltar para acabar com seu malfeitor.

Porém, em seguida, soltando uma espécie de grito infernal, a gata lançou-se não para Hutcheson, como esperado, mas para o rosto do zelador. Suas garras pareciam esticadas ao máximo, como se vê nos desenhos chineses do dragão desenfreado, e vi quando uma delas acertou o pobre bem no olho, e desceu rasgando dali para a bochecha, abrindo um largo risco vermelho onde o sangue pareceu jorrar de todas as veias.

Soltando um berro de puro terror que pareceu vir-lhe mais rápido que a própria sensação de dor, o homem pulou para trás, largando a corda que sustentava a porta de ferro. Saltei para ela, mas era tarde demais; a corda correu feito relâmpago pela polia, e a pesada massa de ferro caiu com todo o peso.

Assim que a porta fechou, pude ver de relance o rosto de nosso pobre companheiro. Parecia petrificado de horror. Seus olhos, fixos numa angústia horrenda, como se hipnotizados, e de seus lábios não saiu som.

E então os espetos cumpriram sua função. Felizmente, o fim foi rápido, pois, quando abri a porta, eles tinham fincado tão fundo que ficaram grudados nos ossos do crânio que acabavam de esmagar, e de fato arrancaram o homem — e seu crânio — de sua prisão de ferro, até que, amarrado como estava, ele desabou com um baque repugnante no chão, o rosto se virando para cima ao cair.

Corri para minha esposa, ergui-a e levei-a para fora, pois receava por sua sanidade caso ela acordasse do desmaio e deparasse com uma cena daquelas. Deitei-a no banco lá de fora e corri para dentro. Apoiado na coluna de madeira estava o zelador, gemendo de dor, apertando um lenço cada vez mais avermelhado contra os olhos. Sentada na cabeça do pobre americano, estava a gata, ronronando alto enquanto lambia o sangue que escorria pelo buraco aberto de um dos olhos dele.

Creio que ninguém vai me achar cruel por ter pegado uma das antigas espadas de carrasco e partido a gata ao meio.

O SEGREDO DO OURO QUE CRESCIA

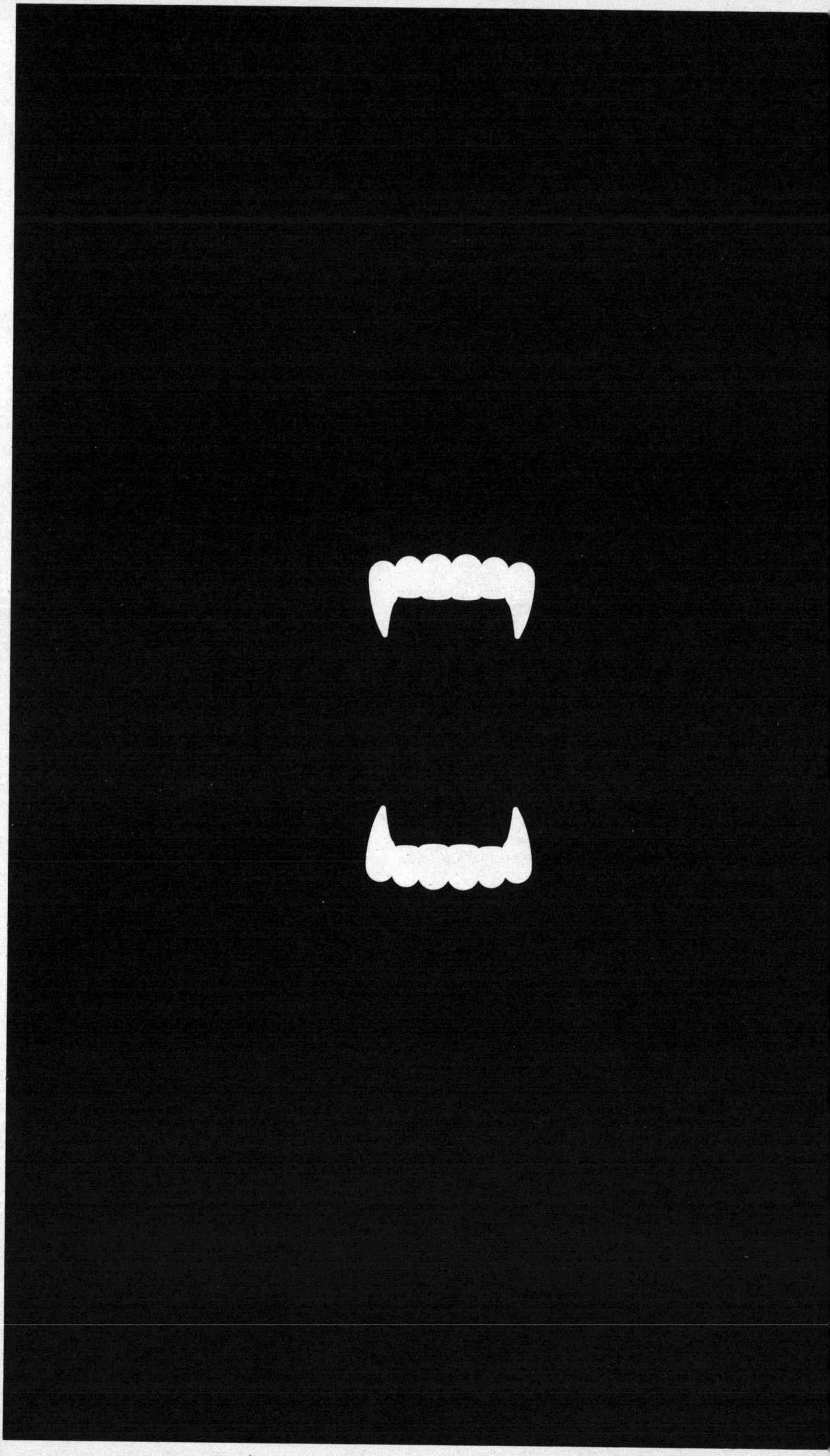

QUANDO MARGARET DELANDRE

foi morar em Brent's Rock, toda a vizinhança acordou com o prazer de um escândalo inédito. Escândalos ligados à família Delandre ou aos Brent de Brent's Rock não eram poucos; e, se a história secreta do condado fosse escrita com todos os detalhes, os dois nomes apareceriam bem documentados. É fato que as condições de cada família eram tão diversas que podiam muito bem pertencer a continentes diferentes — ou planetas diferentes, a bem da verdade —, pois até então suas órbitas jamais haviam se cruzado. Aos Brent fora concedida por todo esse setor do país uma dominância social única, que os mantinha bem acima da classe inferior à qual pertencia Margaret Delandre, como um fidalgo espanhol de sangue azul sobressai em meio a seus arrendatários camponeses.

Os Delandre tinham histórico antigo, do qual muito se orgulhavam, à sua maneira, como os Brent tinham o seu. Contudo, a família jamais ascendera da condição inferior; e, embora tivessem passado por um período de vacas gordas nos bons tempos de guerras internacionais e proteção, suas fortunas definharam sob o açoite do mercado livre e dos "tempos serenos de paz". Como os membros mais idosos costumavam comentar, a família permanecera "presa à terra", e como resultado nela se enraizaram, de corpo e alma. Na verdade, tendo escolhido viver entre os legumes, acabaram por florescer como faz a vegetação — floriam e verdejavam nas estações amenas e sofriam nas mais duras. Sua propriedade, o sítio de Dander, parecia ter sido exaurida, como se para manter a tradição da família à qual pertencia. Esta declinara geração após geração, expelindo vez por outra um broto abortado de energia descontente encarnada num soldado ou marinheiro, que galgava postos entre os escalões inferiores dos serviços e estancava por ali, cortado por descuidada galantaria durante a ação ou por aquele agente destrutivo que acomete os homens sem berço ou vigor juvenil — o reconhecimento de uma posição superior que se sentem incapazes de ocupar. Por isso, aos poucos, a família foi degringolando cada vez mais, os homens taciturnos e descontentes, bebendo até morrer, as mulheres definhando nos trabalhos domésticos, ou casando-se com gente inferior — ou coisa pior. Com o passar do tempo todos desapareceram, restando somente dois deles no sítio, Wykham Delandre e sua irmã, Margaret. O homem e a mulher pareciam ter herdado, de modo masculino e feminino, respectivamente, a tendência ruim de sua raça, partilhando entre si os princípios, embora os manifestassem de modos diferentes, de sombria paixão, voluptuosidade e imprudência.

A história dos Brent fora algo similar, mas exibia as causas de decadência em roupagens aristocráticas, em vez de plebeias. Estes também mandavam seus brotos para a guerra, porém em cargos diferentes, e em geral eles obtinham honrarias — pois não havia dúvida acerca de sua bravura —, e realizavam atos de coragem antes que a dissipação egoísta que os caracterizava lhes minasse o vigor.

O atual chefe da família — se é que se poderia chamar de família agora que remanescia apenas um membro da linhagem direta — era Geoffrey Brent. Era quase como uma espécie de raça exaurida, e manifestava, de certas maneiras, suas mais brilhantes qualidades e, de outras, sua degradação total. Podia muito bem ser comparado a alguns daqueles nobres italianos de antigamente que os pintores preservaram para nós, representados com sua coragem, sua falta de escrúpulos, o refinamento na luxúria e na crueldade — o presente sibarita com o potencial para o perverso. Era sem dúvida belo; tinha aquela beleza sombria, aquilina, autoritária que as mulheres tão geralmente reconhecem como dominadora. Com os homens, era distante e frio, mas tal comportamento nunca afasta as mulheres. As leis inescrutáveis do sexo arranjaram os termos de tal maneira que nem mesmo uma mulher tímida tem medo de um homem feroz e altivo. E tanto era que quase não havia mulher, de qualquer tipo ou classe, residente nos arredores de Brent's Rock que não cultivasse algum tipo de admiração secreta pelo cafajeste bonitão. Era ampla tal categoria, pois Brent's Rock erguia-se imponente numa planície e destacava-se no horizonte de um raio de centenas de quilômetros, com suas antigas torres altas e telhados íngremes a perfurar a linha rasa de bosques e aldeias, e suas mansões espalhadas.

Contanto que Geoffrey Brent restringisse sua devassidão a Londres, Paris e Viena — qualquer lugar distante dos olhos e ouvidos de sua terra —, ninguém dava opinião. É fácil escutar ecos distantes sem se perturbar, e podemos tratá-los com descrença, ou desprezo, ou desdém, ou qualquer atitude de frieza que se adeque a nossas intenções. Porém, quando o escândalo chegava perto de casa, a situação era outra, e o sentimento de independência e integridade que existe na população de toda comunidade ainda não totalmente contaminada afirmava-se e demandava que se expressasse uma condenação. Entretanto, havia certa discrição entre todos, e ninguém foi fuçar nos fatos existentes mais do que o absolutamente necessário. Margaret Delandre portava-se de modo tão destemido e autêntico — aceitava seu posto de companheira legítima de Geoffrey Brent tão naturalmente que as pessoas começaram a achar que ela havia se casado com ele em segredo, e portanto acharam melhor segurar a língua, pois o tempo viria a explicar tudo e também faria dela um inimigo ativo.

A única pessoa que, por sua interferência, poderia ter dado cabo de quaisquer dúvidas era impedida pelas circunstâncias de opinar sobre o assunto. Wykham Delandre arranjara briga com a irmã — ou talvez ela tivesse arranjado briga com ele —, e os dois encontravam-se em clima de não somente belicosa neutralidade, mas de amargo ódio. A querela começara antes de Margaret ir para Brent's Rock. Ela e Wykham chegaram quase a sair no tapa. Houve ameaças claras de ambos os lados; no fim, Wykham, tomado de ardor, ordenou à irmã que deixasse a casa. Margaret levantou-se imediatamente e, sem nem se dar tempo para juntar seus pertences, saiu de casa. Na soleira da porta, parou por um instante e lançou uma ameaça mordaz para Wykham, de que ele lamentaria com vergonha e desespero até o último momento de sua vida o que fizera nesse dia. Passaram-se algumas semanas; entendia-se, na vizinhança, que Margaret tinha ido para Londres, mas ela apareceu de repente no carro com Geoffrey Brent, e toda a vizinhança soube, antes do anoitecer, que ela agora morava em Brent's Rock. Ninguém ficou surpreso por Brent ter voltado para casa inesperadamente, pois ele costumava fazer isso. Nem mesmo seus criados sabiam quando esperar por ele, pois havia uma porta privada da qual somente ele tinha a chave e pela qual às vezes entrava sem ninguém na casa ter ciência de sua chegada. Era esse seu método usual de aparecer após uma longa ausência.

Wykham Delandre ficou furioso com a notícia. Jurou vingança — e para manter a mente no mesmo nível dos sentimentos, passou a beber mais do que nunca. Tentou ver a irmã diversas vezes, mas ela recusou-se desdenhosamente a recebê-lo. Tentou ter uma conversa com Brent, e foi rechaçado por este também. Tentou parar o homem na estrada, mas não adiantou, pois Geoffrey não era o tipo de homem que fizesse algo contra sua vontade. Diversas vezes os dois homens encontraram-se de fato, e muitas outras tal encontro apenas ameaçou ocorrer e foi evitado. Finalmente, Wykham Delandre quedou numa aceitação morosa e vingativa da situação.

Nem Margaret nem Geoffrey tinham temperamento ameno, e não demorou até que começassem as querelas entre os dois. Uma coisa levava à outra, e o vinho corria solto em Brent's Rock. Vez por outra as querelas ganhavam um tom mais amargo, e o casal trocava ameaças num linguajar intratável que deixava os criados bastante admirados. Mas essas querelas em geral terminavam onde terminam as altercações domésticas, na reconciliação, e no respeito mútuo às qualidades belicosas proporcional a sua manifestação. Brigar apenas por brigar é considerado por certa classe de pessoas, em todo o mundo, assunto de aplicado interesse, e não há motivo para crer que as circunstâncias domésticas minimizem seu potencial. Geoffrey e Margaret ausentavam-se ocasionalmente de Brent's Rock, e em cada uma dessas ocasiões Wykham Delandre também se ausentava. Contudo, como em geral ouvia falar desses passeios tarde demais para que lhe servissem de qualquer coisa, ele voltava para casa num estado de espírito ainda mais amargo e descontente do que antes.

Finalmente chegou uma ocasião em que a ausência do casal de Brent's Rock foi mais longa do que anteriormente. Poucos dias antes houvera uma querela que excedera em amargura todas as anteriores, mas esta também fora remendada, e o casal mencionou uma viagem para o Continente diante dos criados. Após alguns dias, Wykham Delandre também foi viajar, e retornou dentro de umas semanas. Notou-se que o homem voltara cheio de um novo senso de importância — satisfação, exaltação — que ninguém entendia muito bem. Ele foi direto para Brent's Rock e exigiu ter com Geoffrey Brent; quando lhe disseram que este não havia retornado, ele disse, com severa determinação, que os criados repararam:

— Eu voltarei. O assunto é sério... e pode esperar! — E foi embora.

Passaram-se semanas, passaram-se meses, e então chegaram os rumores, confirmados mais tarde, de que ocorrera um acidente no vale de Zermatt. Ao cruzar uma perigosa passagem, a carruagem que transportava uma dama inglesa e seu cocheiro despencara num precipício; o cavalheiro que os acompanhava, sr. Geoffrey Brent, fora felizmente salvo pois vinha caminhando morro acima para acalmar os cavalos. Ele deu notificação e começaram as buscas. A grade quebrada, a estrada escoriada, as marcas onde os cavalos haviam lutado, na descida, antes de finalmente tombar morro abaixo — tudo confirmava o triste ocorrido. Fazia uma estação chuvosa, e houvera muita neve no inverno, de modo que o rio avolumara-se acima do normal e as margens das águas estavam cobertas de gelo. Buscas extensas foram conduzidas, e finalmente encontraram os destroços da carruagem e o corpo de um dos cavalos numa beira do rio. Mais tarde, foi encontrado o corpo do cocheiro numa encosta arenosa varrida pelas águas, perto de Täsch; mas o corpo da senhora, como o do outro cavalo, havia desaparecido, e devia estar — pelo menos o que restara dele àquela altura — boiando por entre os rodamoinhos do Ródano a caminho do lago de Genebra.

Wykham Delandre fez toda investigação que podia, mas não encontrou rastro algum da mulher desaparecida. Encontrou, entretanto, nos registros de diversos hotéis os nomes de "sr. e sra. Geoffrey Brent". E mandou erigir um busto em Zermatt em memória à irmã, sob seu nome de casada, e pôr uma placa na igreja em Bretten, paróquia na qual se situavam tanto Brent's Rock quanto o sítio de Dander.

Após o lapso de quase um ano, tendo dissipado a empolgação do assunto, a vizinhança toda retomou a vida de sempre. Brent continuava ausente, e Delandre, mais embriagado, mais moroso e mais vingativo do que antes.

Até que houve nova comoção. Brent's Rock preparava-se para sua nova patroa. O próprio Geoffrey anunciou oficialmente, em carta enviada ao vicário, que se casara alguns meses antes com uma dama italiana e o casal estava a caminho do lar. Então um pequeno exército de trabalhadores invadiu a casa; e só se ouviam martelos e plainas, e um cheiro de cola e tinta dominou a atmosfera. Uma das alas da antiga casa, a ala sul, foi inteiramente reformada, e logo a maior parte dos operários partiu, deixando somente os materiais para a reforma do antigo salão, para quando Geoffrey Brent regressasse, pois este determinara que a decoração fosse feita somente sob suas vistas. Trouxera consigo desenhos precisos do salão da casa do pai de sua noiva, pois queria reproduzir para ela o local ao qual estava acostumada. Como o lambril teria de ser todo refeito, postes e tábuas de andaimes foram trazidos e amontoados num canto do grande salão, e também um grande tanque ou caixa de madeira para misturar a cal, que jazia em sacos bem ao lado.

Quando chegou a nova moradora de Brent's Rock, os sinos da igreja soaram e houve júbilo generalizado. Era uma criatura linda, cheia da poesia, do ardor e da paixão do sul, e as poucas palavras que aprendera em inglês eram faladas de um modo entrecortado tão doce e agradável que ela conquistou os corações das pessoas quase tanto pela música que era sua voz quanto pela beleza lânguida de seus olhos escuros.

Geoffrey Brent parecia mais feliz do que nunca, mas uma sinistra expressão de ansiedade encobria-lhe o rosto, algo inédito para aqueles que o conheciam fazia mais tempo, e ele parecia assustar-se às vezes, como se ouvisse algum barulho que ninguém mais ouvia.

E então passaram-se meses e cresceu o rumor de que finalmente Brent's Rock teria um herdeiro. Geoffrey era muito terno para com a esposa, e o laço entre os dois pareceu deixá-lo mais brando. Interessava-se muito mais por seus rendeiros e as necessidades destes do que antes, e não faltavam atos de caridade de sua parte, bem como de sua doce e jovem esposa. Ele parecia ter depositado todas as esperanças na criança que estava por vir, e, conforme ansiava pelo futuro, a sinistra sombra que lhe encobrira o rosto pareceu dissipar-se gradualmente.

O tempo todo, Wykham Delandre cultivava sua vingança. Bem fundo em seu coração crescia um desejo de vendeta que apenas aguardava a oportunidade de cristalizar-se e tomar forma definida. Sua vaga ideia centrava-se de certo modo na esposa de Brent, pois ele sabia que o melhor jeito de atingi-lo seria através daqueles que ele amava, e os tempos vindouros pareciam carregar no ventre a oportunidade pela qual ele ansiava. Certa noite, estava ele sentado na sala de estar da casa. O cômodo já tinha sido um belo cenário, mas o tempo e a negligência fizeram seu trabalho e o local agora não passava de ruínas desprovidas de dignidade ou qualidade de qualquer tipo. Delandre vinha bebendo bastante fazia algum tempo e estava para lá de entorpecido. Pensou ter ouvido um barulho, como se houvesse alguém à porta, e ergueu o olhar. Num tom de voz grosseiro, mandou que entrassem, mas não teve resposta. Murmurou um palavrão; retomou a bebedeira. Acabou esquecendo tudo ao redor, mergulhou num torpor, mas acordou subitamente e viu, diante de si, alguém ou algo como uma versão surrada e fantasmagórica de sua irmã. Por alguns momentos, foi tomado de medo. A mulher à sua frente, de feições distorcidas e olhos ardentes, mal parecia humana, e a única coisa que poderia ter de mais similar à irmã, como fora em vida, a profusão de cabelos dourados, estava agora riscada de cinza. Ela o encarou com um olhar frio e demorado; ele também, vendo-a e constatando cada vez mais a realidade de sua presença, notou que o ódio que sentira por ela começava a ressurgir no peito. Todo o ardor depressivo do ano anterior pareceu encontrar voz quando ele perguntou:

— Por que veio aqui? Você está morta e enterrada.

— Eu estou aqui, Wykham Delandre, não por amor a você, mas porque odeio outro muito mais do que odeio você! — disse ela, com chamas de cólera nos olhos.

— Ele? — perguntou Delandre num sussurro tão feroz que até mesmo a mulher pareceu hesitar por um instante, até recobrar a calma.

— Sim, ele — ela respondeu. — Mas não se engane; minha vingança é apenas minha. Só preciso usar você para me ajudar.

Wykham perguntou subitamente:

— Vocês se casaram?

O rosto distorcido da mulher abriu-se numa medonha expressão ao tentar sorrir. Não passou de uma caricatura hedionda, pois os traços partidos e as cicatrizes costuradas tomaram formas e cores estranhas, e apareceram linhas brancas onde os músculos, retorcidos, pressionavam os antigos cortes.

— Então você quer saber! Seria bom para o ego saber que sua irmã de fato se casou! Bem, você não saberá. Foi assim que me vinguei de você, e não pretendo desfazer o gesto de modo algum. Vim aqui hoje apenas para que saiba que estou viva, para que haja uma testemunha caso cometam contra mim algum ato de violência aonde vou.

— Aonde você vai? — perguntou o irmão.

— Isso é assunto meu. Não tenho a menor intenção de lhe contar.

Wykham levantou-se, mas, tomado pelo álcool, recuou e caiu. Deitado no chão, anunciou a intenção de acompanhar a irmã, e, num acesso de humor esplenético, disse-lhe que a seguiria na escuridão guiado pela luz de seus cabelos e sua beleza. Nisso, ela se voltou para ele e disse que muitos outros, além dele, zombariam também de seus cabelos e sua beleza.

— Como ele — sibilou —, pois os cabelos permanecem, mas a beleza morreu. Quando ele removeu o pino e nos lançou para o precipício, não estava nem um pouco preocupado com a minha beleza. Talvez a beleza dele também fosse destruída se ele tivesse rolado, como eu, entre os rochedos de Visp e congelado na neve, no gelo do leito do rio. Mas ele que se cuide! A hora dele vai chegar! — E, com um gesto brusco, a mulher abriu a porta e sumiu na escuridão.

Mais tarde, na mesma noite, a sra. Brent, que estava quase adormecendo, teve um sobressalto e disse ao marido:

— Geoffrey, você ouviu esse barulho de tranca perto da janela?

Contudo, Geoffrey — que ela pensava ter também se assustado com o ruído — parecia dormir profundamente, respirando pesado. A moça adormeceu de novo, mas logo acordou, dessa vez vendo que o marido tinha se levantado e estava parcialmente vestido. Estava branco de tão pálido; quando a luz da lamparina que ele tinha na mão mostrou-lhe o rosto, ela ficou preocupada com a expressão dele.

— Que foi, Geoffrey? Que está fazendo? — ela perguntou.

— Não é nada — respondeu ele, num tom estranho e rouco. — Volte a dormir. Estou inquieto e quero terminar algo que deixei por fazer.

— Faça aqui, querido — disse ela. — Tenho medo de ficar sozinha, quando você está longe.

Como resposta, ele apenas a beijou e foi embora, fechando a porta ao sair. A moça continuou deitada por um momento, e logo a natureza foi mais forte e ela adormeceu.

De repente, acordou com o som de um grito abafado, não muito distante. Saltou da cama, correu para a porta e tentou ouvir, mas não havia som algum. Cada vez mais preocupada com o marido, ela o chamou:

— Geoffrey! Geoffrey!

Após alguns instantes, a porta do grande salão se abriu e Geoffrey apareceu, mas sem a lamparina.

— Quieta — disse ele, meio que sussurrando, e sua voz soou dura e austera. — Volte para a cama! Estou trabalhando e não quero ser perturbado. Volte para a cama; não vá acordar a casa toda.

Com o coração gelado — pois esse tom grosseiro do marido era algo novo para ela —, ela voltou para a cama e ficou ali deitada, tremendo, assustada demais para chorar, prestando atenção em cada ruído. Após uma pausa extensa de silêncio, veio o som de algum instrumento de ferro aplicando golpes abafados. Em seguida, o baque de uma pedra muito pesada caindo e um palavrão abafado. Depois pareceu que arrastavam algo, e mais barulho de pedra sobre pedra. A moça continuou deitada, agoniada, com medo, e seu coração batia pavorosamente. Ela teve a impressão de que raspavam alguma coisa, depois ficou tudo quieto. Finalmente, a porta abriu-se devagar, e Geoffrey apareceu. Ela fingiu que dormia, mas por entre as pálpebras viu-o lavar as mãos com um líquido branco que lembrava cal.

Pela manhã, ele não fez menção alguma à noite anterior, e ela teve receio de fazer perguntas.

Desde esse dia, pareceu haver algo assombrando Geoffrey Brent. Ele não dormia nem se alimentava como de costume, e retomou seu hábito antigo de se virar subitamente como se alguém falasse com ele pelas costas. O velho salão parecia exercer uma espécie de fascinação sobre o homem. Costumava ir até lá diversas vezes ao dia, mas ficava impaciente se alguém, até mesmo a esposa, entrasse ali. Quando o mestre de obras da construtora quis saber se podia continuar o serviço, Geoffrey tinha saído com a carruagem; o homem foi até o salão, e quando Geoffrey retornou, um criado avisou-lhe que o homem chegara e aonde tinha ido. Com uma exclamação de dar medo, ele empurrou o criado para longe e correu para o salão. O operário encontrou-o quase na entrada; quando Geoffrey entrou quase derrubando a porta, o homem correu para ele, pedindo desculpas:

— Desculpe-me, senhor, mas eu só vim perguntar umas coisas. Mandei trazerem doze sacos de cal para cá, mas vi que só tem dez.

— Que se danem os sacos e as quantidades! — foi a resposta, desagradável e incompreensível.

O homem pareceu surpreso e tentou mudar o rumo da conversa.

— Bem, senhor, tem uma coisinha que o nosso pessoal precisa resolver; mas o responsável vai cuidar de tudo, claro, e pagar pelo serviço.

— Do que está falando?

— A pedra da lareira, senhor. Algum idiota deve ter colocado um mastro de cadafalso em cima e rachou um pouco, bem no meio. E a pedra é tão forte que dá impressão de que aguenta qualquer coisa.

Geoffrey ficou calado por quase um minuto, depois disse, num tom contido e muito mais gentil:

— Diga ao seu pessoal que não prosseguirei com o serviço no salão, no momento. Quero deixar como está por mais um tempinho.

— Tudo bem, senhor. Vou mandar uns rapazes para tirar esses mastros e os sacos de cal e arrumar o lugar.

— Não, não! — disse Geoffrey. — Deixe tudo como está. Eu os informo mais tarde quando chegar a hora de retomarem o serviço.

Assim, o mestre de obras foi embora, e foi este o comentário que fez para seu mestre:

— Eu mandaria a conta, senhor, do trabalho que já foi feito. Pelo visto, as finanças andam meio complicadas naquele lugar.

Uma ou duas vezes Delandre tentou parar Brent na estrada e, finalmente, vendo que não alcançaria o objetivo, correu atrás da carruagem, dizendo:

— Que foi feito da minha irmã, sua esposa?

Geoffrey incitou seus cavalos a galopar, e o outro, percebendo o rosto pálido do homem e o colapso da esposa, que quase desmaiou, e vendo que obtivera o resultado que queria, foi embora, rindo e zombando.

Na mesma noite, quando foi ao salão, Geoffrey parou diante da grande lareira e subitamente deu um pulo para trás, soltando uma exclamação abafada. Foi com muito esforço que se recompôs e saiu, para retornar com iluminação. Inclinou-se sobre a pedra lascada da lareira para ver se o luar projetado sobre ela, que entrava pela janela alta, por acaso não o tinha enganado. Então, com um gemido de angústia, caiu de joelhos.

Ali, sem sombra de dúvida, de uma rachadura na pedra lascada, brotava um feixe de cabelos dourados rajados de cinza!

Perturbado por um ruído na porta, Geoffrey olhou ao redor e viu a esposa parada ali. No desespero do momento, pôs-se a agir para evitar que alguém descobrisse tudo; acendeu um fósforo na lamparina, curvou-se e queimou o cabelo que escapava da pedra rachada. Em seguida, levantou-se, o mais indiferente que podia, e fingiu surpresa ao ver a mulher ali.

A semana seguinte, ele a viveu em agonia; por acaso ou intenção, não conseguia jamais ficar sozinho no salão por tempo suficiente. A cada visita, os cabelos renovavam-se, brotando pela rachadura, e era preciso tomar muito cuidado para que seu terrível segredo não fosse descoberto. Geoffrey tentava arranjar um receptáculo para o corpo da mulher assassinada fora da casa, mas alguém sempre o interrompia; certa vez, quando passava pela porta privativa, deu de cara com a esposa, que começou a questioná-lo acerca do acesso, e manifestou surpresa com o fato de jamais ter notado a chave que ele agora lhe mostrava com muita relutância. Geoffrey amava a esposa sincera e apaixonadamente, de modo que qualquer possibilidade de que ela descobrisse seus segredos terríveis, ou que ao menos duvidasse dele, lhe enchia de angústia. Passados alguns dias, não pôde evitar a conclusão de que ela ao menos suspeitava de algo.

Nessa noite, ela entrou no salão, tendo voltado de um passeio, e encontrou-o ali sentado, ensimesmado, junto da lareira. Resolveu falar-lhe diretamente.

— Geoffrey, eu conversei com aquele homem, Delandre, e ele me disse coisas terríveis. Disse que, uma semana atrás, a irmã apareceu na casa dele, definhando, arruinada, somente os cabelos loiros como de antes, e anunciou que tinha péssimas intenções. Ele me perguntou onde ela está... e oh, Geoffrey, ela está morta; está morta! Como pode ter retornado? Oh, estou com tanto medo... não sei a quem recorrer!

Como resposta, Geoffrey desatou numa torrente de blasfêmias que a deixou perplexa. Amaldiçoou Delandre e a irmã e toda a sua família, e principalmente, lançou maldição atrás de maldição sobre os cabelos loiros dela.

— Ah, acalme-se, acalme-se — disse ela, e ficou em silêncio, pois tinha medo do marido quando via o lado maligno de seu temperamento.

Geoffrey, no calor da raiva, levantara-se e afastara-se da lareira, mas parou subitamente quando viu a expressão de horror no rosto da esposa. Seguindo os olhos dela, também ele vacilou, trêmulo — pois ali na pedra lascada da lareira viu uma mecha de cabelos dourados, a ponta brotando da rachadura.

— Olhe, olhe! — ela gritou. — É um fantasma! Afaste-se... afaste-se! — E, tomando o marido pelo punho, no frenesi da loucura, arrastou-o salão afora.

Naquela noite, a mulher teve uma febre intensa. O médico do distrito foi atendê-la de imediato, e telegrafaram para Londres em busca de apoio especializado. Geoffrey estava desesperado e, na angústia diante do risco que corria sua jovem esposa, quase se esqueceu do próprio crime e suas consequências. Após um tempo, o médico teve que partir para atender outras pessoas, mas deixou Geoffrey cuidando da esposa. Eis suas últimas palavras:

— Lembre-se, você deve agradá-la até eu retornar, de manhã, ou até que outro médico passe a cuidar do caso. O que você deve recear é outro acesso de nervos. Ela não deve passar frio. Nada mais pode ser feito.

Mais tarde, nessa noite, o restante dos moradores da casa havia se retirado; a esposa de Geoffrey levantou-se da cama e o chamou.

— Venha! — disse ela. — Vamos ao antigo salão! Eu sei de onde vem o ouro! Quero vê-lo crescer!

Geoffrey preferia que a fraqueza a contivesse, porém receava por sua vida e sanidade, por um lado, e que, num ataque, ela berrasse aos quatro ventos sua terrível suspeita. Vendo que era inútil tentar dissuadi-la, envolveu-a em um cobertor espesso e foi com ela ao antigo salão. Quando entraram, a moça virou-se e fechou a porta à chave.

— Não queremos nenhum estranho entre nós três! — sussurrou, com um sorriso abatido.

— Nós três! Mas somos apenas dois — disse Geoffrey, sentindo um arrepio; teve medo de dizer algo mais.

— Sente-se aqui — disse a esposa, apagando a luz. — Sente-se aqui junto da lareira para ver o ouro crescer. O luar está com inveja! Veja, ele rasteja pelo piso em direção ao ouro... nosso ouro!

Geoffrey olhou, cada vez mais horrorizado, e viu que, durante as horas que passaram, os cabelos loiros tinham brotado ainda mais pela rachadura na pedra da lareira. Tentou escondê-los, colocando o pé em cima da rachadura; a esposa trouxe para perto dele uma cadeira, inclinou-se e deitou a cabeça em seu ombro.

— Agora fique quietinho, querido — disse ela. — Vamos ficar de olho. Descobriremos o segredo do ouro que cresce!

Geoffrey passou o braço em volta da esposa e ficou ali quieto; o luar já avançara um pouco mais no piso quando ela adormeceu.

Como ele receava acordá-la, permaneceu sentado, calado e abatido, com o passar das horas.

Diante de seus olhos tomados de terror, a mecha de cabelos loiros da pedra não parava de crescer; conforme ela crescia, o coração dele foi ficando mais e mais gelado, até que, finalmente, ele não teve mais forças para se mover, e ficou sentado, o olhar cheio de horror, contemplando seu destino.

Pela manhã, quando o médico de Londres chegou, Geoffrey e a esposa tinham desaparecido. Procuraram em todos os cômodos, mas sem sucesso. Como último recurso, a grande porta do salão foi aberta à força, e os que entraram depararam com um cenário triste e medonho.

Junto da lareira, Geoffrey Brent e sua jovem esposa estavam sentados, frios, pálidos e mortos. O rosto dela transmitia paz, os olhos fechados, como se dormisse, mas o rosto dele era uma visão de arrepiar, pois a expressão era de um horror inexprimível. De olhos abertos e fixos nos pés, entrelaçados que estavam por mechas de cabelo dourado, rajado de cinza, que brotavam da pedra rachada da lareira.

A PROFECIA CIGANA

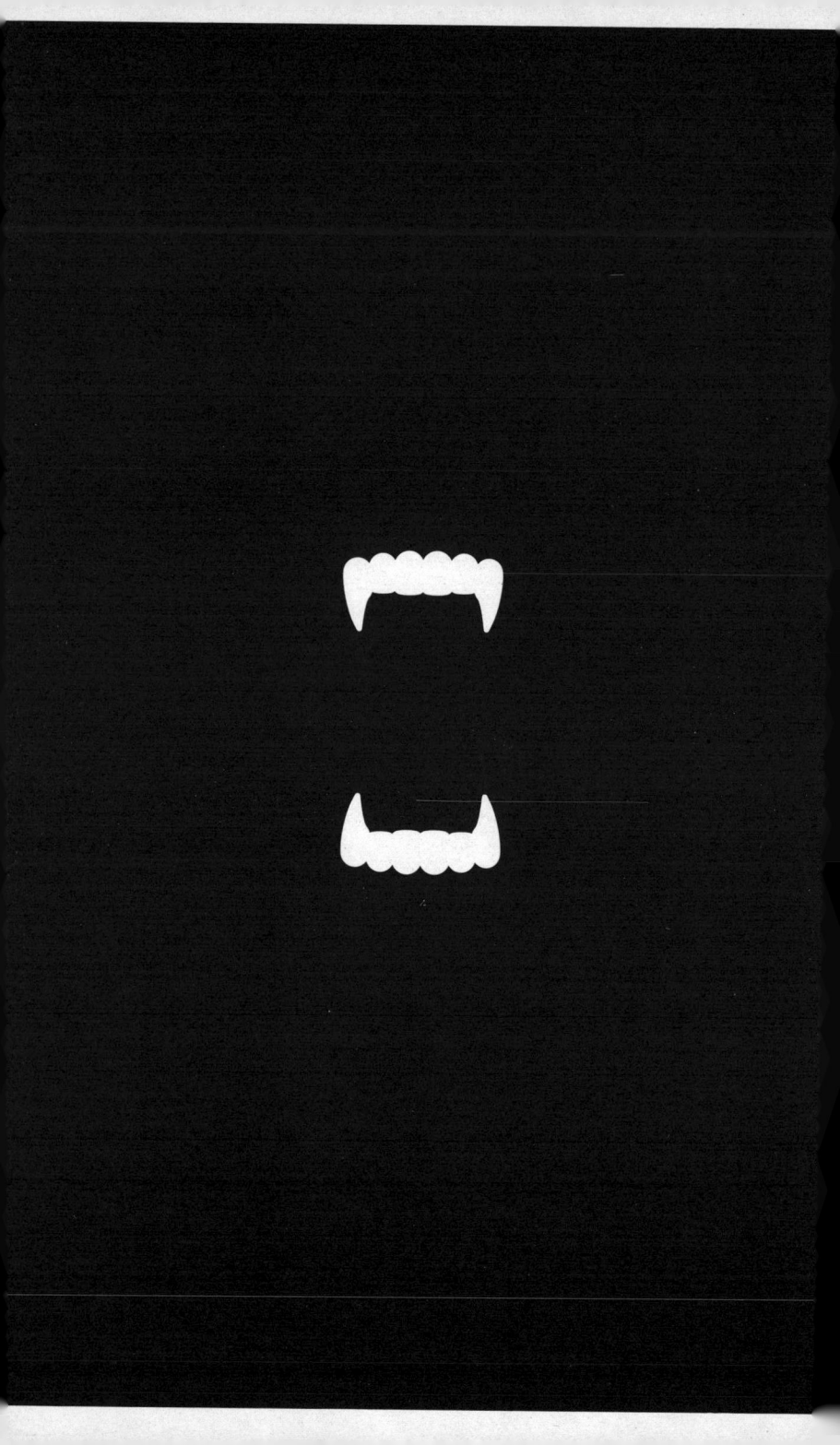

— EU ACHO — DISSE O MÉDICO —

que pelo menos um de nós deveria ver se não se trata de um embuste.

— Ótimo! — disse Considine. — Depois do jantar, vamos pegar uns charutos e dar uma passada no acampamento.

Doravante, concluído o jantar e terminado o La Tour, Joshua Considine e seu amigo, o dr. Burleigh, foram para o lado leste do charco, onde se encontrava o acampamento dos ciganos. Ao partirem, Mary Considine, que os tinha acompanhado até a orla do jardim, onde tocava a alameda, disse ao marido:

— Olhe, Joshua, conceda-lhes um pouco de compreensão, mas não lhes dê tudo de mão beijada... e não vá flertar com nenhuma das ciganas... e não deixe que façam mal ao Gerald.

Como resposta, Considine ergueu a mão, como se fizesse um juramento, e saiu assoviando a velha canção "A condessa cigana". Gerald uniu-se a ele na tentativa, e, às gargalhadas, os dois rapazes seguiram pela alameda até a rua principal, voltando-se vez ou outra para acenar para Mary que, recostada no portão, sob o crepúsculo, velava por eles.

Fazia um belo fim de tarde de verão; no ar pairava calmaria e uma quietude jovial, como se fosse uma versão exterior da paz e da alegria que faziam do lar do jovem casal um verdadeiro paraíso. A vida de Considine não fora das mais agitadas. O único evento perturbador que conhecera fora o cortejo de Mary Winston, e a objeção prolongada de seus ambiciosos pais, que sonhavam com um par brilhante para sua única filha. Quando o sr. e a sra. Winston descobriram quão apegado estava o jovem advogado, tentaram manter os dois jovens separados enviando a filha para longe para uma demorada rodada de visitas, forçando-a a prometer não se corresponder com o amado durante sua ausência. O amor, contudo, vencera essa provação. Nem a ausência nem a negligência pareceram apagar a paixão do rapaz, e o ciúme parecia ser algo estranho à sua natureza enérgica; então, após longo período de espera, os pais cederam e o jovem casal uniu-se em matrimônio.

Fazia poucos meses que estavam morando no chalé e começavam a sentir-se em casa. Gerald Burleigh, antigo colega de faculdade de Joshua, também ele por um tempo vitimado pela beleza de Mary, chegara uma semana antes para ficar com eles o tempo que conseguisse manter-se afastado do trabalho em Londres.

Quando o marido sumiu de vista, Mary foi para dentro da casa, sentou-se ao piano e pôs-se a tocar Mendelssohn.

Foi uma caminhada curta pela via principal, e, antes que os charutos demandassem mais fogo, os dois chegaram ao acampamento dos ciganos. O local era tão pitoresco quanto qualquer outro acampamento cigano — quando estão em vilarejos e os negócios vão bem. Havia algumas pessoas em volta da fogueira, investindo seu dinheiro em profecias, e muitas outras, mais pobres ou mais parcimoniosas, que ficavam um pouco mais longe, mas ainda perto o bastante para ver tudo que acontecia.

Conforme os dois cavalheiros aproximaram-se, os aldeões, que conheciam Joshua, abriram caminho, e apareceu uma bela ciganinha de olhar afiado, pedindo para ler a sorte deles. Joshua estendeu-lhe a mão, mas a menina, parecendo não a ver, ficou encarando-o do jeito mais esquisito. Gerald interveio:

— A mão dela tem que tocar a prata — disse. — É um dos aspectos mais importantes do mistério.

Joshua tirou meia coroa do bolso e estendeu para a menina, porém, sem nem olhar, ela respondeu:

— A mão da cigana tem que tocar o ouro.

Gerald riu.

— Que pessoinha mais singular — disse.

Joshua era o tipo de homem — o tipo universal — que podia tolerar o olhar de uma menina bonita; então, com certa deliberação, respondeu:

— Muito bem; aqui está, minha menina; mas você tem que me ler uma sorte daquelas em retorno. — E entregou-lhe meio soberano, que ela aceitou, dizendo:

— Não cabe a mim ler sorte ou azar, mas sim ler somente o que as estrelas dizem.

Ela pegou a mão dele e a virou para cima; no instante em que pousou nela os olhos, contudo, largou-a como se estivesse em brasa e, claramente amedrontada, saiu correndo. Ergueu a cortina da barraca maior, que ocupava o centro do acampamento, e desapareceu lá dentro.

— Enganado de novo! — disse o cínico Gerald.

Joshua ficou um pouco admirado e nem um pouco satisfeito. Ficaram os dois de olho na barraca maior. Em questão de segundos, emergiu da abertura não a menina, mas uma imponente mulher de meia-idade e presença autoritária.

No momento em que ela surgiu, todo o acampamento pareceu congelar no tempo. Todo o tagarelar, as risadas e o ruído das atividades foram, por um ou dois segundos, detidos, e cada homem e mulher que estivera sentado, agachado ou deitado levantou-se e virou-se para a cigana de porte régio.

— A rainha, claro — murmurou Gerald. — Estamos com sorte hoje.

A rainha cigana passou os olhos por todo o acampamento, como se procurasse algo, e então, sem hesitar nem um segundo, veio direto falar com Joshua.

— Estenda a mão — disse ela num tom autoritário.

Mais uma vez, Gerald interveio, falando baixinho:

— Não falam assim comigo desde os tempos de colégio.

— Sua mão tem que tocar o ouro.

— Cem por cento, a essa altura — sussurrou Gerald ao ver Joshua deitar outro meio soberano na mão da mulher.

A cigana olhou para a mão de cenho franzido; então, encarando-o subitamente, disse:

— Você tem força de vontade? Tem um coração sincero, corajoso o bastante para defender quem você ama?

— Espero que sim; mas receio não ser vaidoso o bastante para dizer "sim".

— Então responderei por você, pois vejo determinação em seu rosto... determinação desesperada e resoluta, se preciso for. Tem uma esposa que ama?

— Sim — enfático.

— Então deve deixá-la agora mesmo... e nunca mais vê-la. Afaste-se dela agora, enquanto o amor ainda é novo e seu coração está livre de intenções ruins. Vá logo... vá para longe, e nunca mais a veja!

Joshua puxou a mão rapidamente e disse um obrigado firme, mas sarcástico, ao sair andando.

— Olha — disse Gerald —, assim não tem como, meu velho; não adianta ficar indignado com as estrelas ou com o profeta... e mais, sua soberana! O que fazer? Pelo menos escute o que ela tem a dizer.

— Silêncio, seu tolo! — ordenou a rainha. — Não sabe o que está fazendo. Deixe que ele vá... e vá na ignorância, se preferir não escutar.

Joshua virou-se imediatamente.

— Seja como for, vamos até o fim — disse. — Agora, madame, a senhora me deu um conselho, mas eu paguei para que lesse a minha sorte.

— Você já foi avisado — disse a cigana. — As estrelas ficaram em silêncio por muito tempo; deixe que permaneçam imersas no mistério.

— Minha estimada senhora, não é todo dia que tenho contato com um mistério desses, e prefiro pagar por conhecimento em vez de ignorância. Obtenho desta, e de graça, sempre que desejar.

Gerald ecoou o sentimento.

— Da minha parte, tenho um estoque grande, que nem posso pôr à venda.

A rainha cigana fitou os dois homens com austeridade, e então disse:

— Como quiserem. Você fez a sua escolha, e recebeu o aviso com desprezo, e o apelo com leviandade. Que o destino caia sobre suas cabeças!

— Amém! — disse Gerald.

Com um gesto imperioso, a rainha tomou novamente a mão de Joshua e começou a ler a sorte dele.

— Eu vejo aqui sangue fluindo; fluirá muito em breve; está escorrendo diante de mim. Ele flui através do círculo quebrado de um anel partido.

— Prossiga! — disse Joshua, sorrindo; Gerald ficou calado.

— Devo ser ainda mais clara?

— Certamente; nós, meros mortais, gostamos de frases mais definidas. As estrelas estão muito distantes, e suas palavras acabam um tanto perdidas dentro da mensagem.

A cigana estremeceu e falou com veemência.

— Esta é a mão de um assassino... o assassino da própria mulher!

Dito isso, soltou a mão do rapaz e saiu andando. Joshua caiu no riso.

— Sabe de uma coisa? — disse ele. — Acho que, se eu fosse você, profetizaria alguma jurisprudência para a clientela. Veja, você diz que "esta é a mão de um assassino". Bem, seja lá o que possa vir a ser, no momento não é. Você deve falar a profecia em termos como "a mão que será de um assassino", ou, melhor, "a mão de alguém que será o assassino da esposa". As estrelas não entendem nada de questões técnicas.

A cigana não deu resposta alguma, mas, de cabeça baixa e semblante desanimado, foi lentamente até a barraca, ergueu a cortina e desapareceu.

Calados, os rapazes pegaram o caminho de casa e cruzaram o charco. Finalmente, após certa hesitação, Gerald falou:

— É claro, meu velho, que tudo isso é uma piada; piada medonha, mas uma piada. Mesmo assim, não seria melhor guardarmos segredo do caso?

— O que quer dizer?

— Ora, não contar à sua esposa. Pode deixá-la alarmada.

— Alarmada! Meu caro Gerald, onde está com a cabeça? Ora, ela não ficaria alarmada nem teria medo de mim mesmo que todas as ciganas da Boêmia profetizassem que estou prestes a assassiná-la, ou que penso mal dela, nem por um minuto que fosse.

Gerald protestou.

— Meu velho amigo, as mulheres são supersticiosas... muito mais do que os homens; além disso, foram abençoadas... ou amaldiçoadas... com um sistema nervoso totalmente desconhecido para nós. Vejo isso demais no meu trabalho para não perceber. Aceite o meu conselho e não lhe conte nada, ou vai assustá-la.

Os lábios de Joshua endureceram sem que ele percebesse quando respondeu:

— Caro amigo, eu jamais guardaria um segredo da minha esposa. Ora, seria o início de um novo costume entre nós. Não guardamos segredos um do outro. Se algum dia o fizermos, pode ter certeza de que tem algo errado entre nós.

— Mesmo assim — disse Gerald —, sob o risco de interferir sem ter sido chamado, devo dizer: não se esqueça de que você foi avisado.

— As mesmas palavras da cigana — disse Joshua. — Vocês dois parecem estar bem de acordo. Diga-me, meu velho, isso tudo foi armação? Foi você quem me contou do acampamento cigano... por acaso foi tudo arranjado com vossa majestade?

Tudo isso foi dito com ares de jocosa honestidade. Gerald garantiu que ouvira falar do acampamento nesse mesmo dia pela manhã, mas o outro tirou sarro de cada resposta do amigo, e, no decurso da brincadeira, o tempo passou, e logo estavam no chalé.

Mary estava sentada ao piano, mas não tocava. O crepúsculo suscitara-lhe sentimentos muito ternos no peito, e seus olhos estavam marejados. Quando os homens chegaram, ela foi até o marido e o beijou. Joshua fingiu que trazia notícias de uma tragédia.

— Mary — disse ele num tom grave —, antes que chegue perto, escute o que diz a sorte. As estrelas falaram e o destino está selado.

— O que é, querido? Conte-me a predição, mas não me assuste.

— De maneira alguma, meu amor, mas há uma verdade que acho bom você saber. Não, é preciso que saiba, para que sejam feitos todos os preparativos de antemão, e seja tudo feito corretamente e esteja em ordem.

— Diga, amor; estou ouvindo.

— Mary Considine, um dia haverá uma efígie de sua pessoa no museu de Madame Tussaud. A juris-imprudência das estrelas anunciou a terrível previsão de que esta mão será coberta de sangue... o seu sangue. Mary! Mary! Meu Deus!

Joshua saltou para a frente, mas tarde demais para amparar a moça, que caiu, desmaiada, no chão.

— Eu avisei — disse Gerald. — Você não as conhece tão bem quanto eu.

Após um tempo, Mary recuperou-se do desmaio, mas apenas para entrar num acesso de histeria, no qual ria e chorava, agitada, e exclamou:

— Fique longe de mim... de mim, Joshua, meu marido. — E muitas outras palavras de súplica e de medo.

Joshua Considine estava num estado de espírito que beirava a agonia, e quando Mary finalmente acalmou-se, ele ajoelhou ao lado dela e beijou seus pés, suas mãos, seus cabelos, e chamou-a dos nomes mais doces e disse todas as ternuras que seus lábios puderam produzir. A noite toda ficou sentado junto dela, segurando sua mão. Ao longo de toda a madrugada, até quase amanhecer, ela acordou diversas vezes, gritando de medo, mas logo se acalmava, confortada por saber que o marido velava por ela.

Tomaram café da manhã bem tarde no dia seguinte. Ainda comiam quando Joshua recebeu um telegrama no qual requisitavam que fosse até Withering, a pouco mais de trinta quilômetros dali. Ele relutou em ir, mas Mary não quis saber disso, e então, antes do meio-dia, ele saiu sozinho de charrete.

Quando o marido se foi, Mary retirou-se para o quarto. Não apareceu no almoço, mas quando serviram o chá da tarde no gramado, sob o grande salgueiro, ela veio fazer companhia ao convidado. Parecia bem recuperada do incidente da noite anterior. Após alguns comentários casuais, disse ela a Gerald:

— Claro que foi tudo uma bobagem, a noite passada, mas não pude evitar ficar com medo. De fato, não há como ficar tranquila se eu me permitir ficar pensando nisso. Mas, no fim das contas, essas pessoas devem estar imaginando coisas, e eu sei de um modo infalível de mostrar como é falsa essa predição... se for mesmo falsa — ela acrescentou, chateada.

— Qual é o plano? — perguntou Gerald.

— Irei pessoalmente ao acampamento dos ciganos pedir que a rainha leia a minha sorte.

— Ótimo. Posso ir com você?

— Ah, não! Isso estragaria tudo. Ela pode reconhecê-lo e supor quem eu sou, e adequar sua fala. Irei sozinha esta tarde.

No fim da tarde, Mary Considine seguiu caminho para o acampamento cigano. Gerald acompanhou-a até o fim da rua, e retornou sozinho.

Menos de meia hora depois, Mary entrou na sala de desenho onde ele estava, sentado num sofá, lendo. Estava terrivelmente pálida, num estado de extrema agitação. Mal cruzara a soleira e desabou esbaforida no carpete. Gerald correu ajudá-la, mas com grande esforço ela se controlou e gesticulou, pedindo silêncio. Ele aguardou, e o fato de ter atendido prontamente ao desejo dela pareceu a melhor forma de ajuda pois, em poucos minutos, ela já começava a recuperar-se e foi capaz de contar-lhe o que acontecera.

— Quando cheguei ao acampamento — ela disse —, parecia não haver uma viva alma no local. Fui até o centro e fiquei ali. De repente, apareceu uma mulher alta do meu lado. "Algo me disse que fui requisitada!", ela disse. Estendi minha mão e pus nela uma moeda de prata. Ela tirou do pescoço uma coisinha dourada e colocou ali também, e então pegou as duas e jogou no riacho que corre ali perto. Depois tomou minha mão e disse: "Nada além de sangue neste lugar amaldiçoado", e saiu andando. Segurei-a pelo braço e pedi que falasse mais. Após hesitar um pouco, ela disse assim: "Ai de mim! Eu vejo você deitada aos pés do seu marido, e as mãos dele estão cobertas de sangue".

Gerald não se sentia nem um pouco tranquilo, e procurou rir da situação.

— Obviamente — disse ele —, essa mulher tem obsessão por assassinato.

— Não zombe — disse Mary. — Eu não suporto.

E então, como se por súbito impulso, Mary saiu da sala.

Não muito tempo depois, Joshua retornou, contente e radiante, e com toda a fome do mundo por causa da longa viagem. Sua presença alegrou a esposa, que parecia muito mais animada, mas ela não fez menção do episódio da visita ao acampamento dos ciganos, por isso Gerald também não disse nada. Como se por consenso tácito, a questão não foi abordada durante a noite toda. Contudo, havia uma expressão estranha fixada no rosto de Mary que Gerald não pôde deixar de notar.

Pela manhã, Joshua desceu para o café da manhã mais tarde que o usual. Mary já tinha acordado e estivera zanzando pela casa fazia mais tempo; porém, com o arrastar das horas, pareceu ficar um pouco nervosa, e vez por outra olhava ao redor, angustiada.

Gerald não pôde deixar de notar que ninguém, no café da manhã, conseguiu comer com satisfação. Não era porque as costeletas estavam duras, mas sim porque as facas estavam todas cegas. Por ser só um convidado, claro que ele não fez menção, mas viu Joshua passar o dedo pelo fio da faca, meio sem perceber que o fazia. Diante desse gesto, Mary ficou pálida e quase desmaiou.

Depois do café, saíram todos para o gramado. Mary estava juntando flores num buquê e disse ao marido:

— Dê-me algumas rosas, querido.

Joshua puxou um feixe da fachada da casa. A haste dobrou, mas era forte demais para quebrar. Ele levou a mão ao bolso para pegar sua faca, mas em vão.

— Empreste-me sua faca, Gerald — disse.

Mas Gerald não tinha faca, então foi pegar uma na mesa do café. Ele voltou sentindo o fio e murmurando:

— Que foi que aconteceu a todas as facas? Parece que estão todas cegas.

Mary saiu apressada e entrou na casa. Joshua tentou cortar a haste com a faca cega como os cozinheiros cortam o pescoço de uma galinha — como um menino corta um barbante. Com um pouco de esforço, concluiu a tarefa. O arbusto de rosas crescia volumoso, então ele resolveu juntar várias flores.

Como não conseguiu encontrar uma única faca afiada no apoiador onde guardavam os talheres, ele chamou Mary e, quando esta chegou, contou-lhe do estado das coisas. Ela ficou tão agitada e angustiada que ele logo intuiu a verdade e, espantado e magoado, perguntou:

— Então foi você quem fez isso?

Ela exclamou:

— Ah, Joshua, eu fiquei com tanto medo!

Ele ficou em silêncio e uma expressão lívida surgiu em seu rosto.

— Mary — ele disse —, é assim que você confia em mim? Eu não teria acreditado.

— Ah, Joshua! Joshua! — ela exclamou, suplicante. — Perdoe-me. — E começou a chorar, muito sentida.

Joshua refletiu por um momento e disse:

— Então, se é assim... melhor acabar logo com isso, ou vamos enlouquecer.

E foi às pressas para a sala de desenho.

— Aonde você vai? — Mary quase gritou.

Gerald entendeu suas intenções — que ele não se restringiria a instrumentos sem fio por força de superstição, e não ficou surpreso quando viu o amigo sair pela porta francesa trazendo na mão uma enorme faca gurkha que deixavam na mesa de centro e que o irmão lhe mandara do norte da Índia. Era uma daquelas grandes facas de caça que fizeram muito estrago no combate corpo a corpo com os inimigos dos gurkhas durante as revoltas, muito pesada, mas tão balanceada no punho que parecia leve, e a lâmina era como uma navalha. Com uma dessas facas, um gurkha podia ceifar uma ovelha em duas.

Quando o viu sair da sala com a arma na mão, Mary berrou, agoniada de medo, e a histeria da noite anterior foi imediatamente retomada.

Joshua correu para ela e, vendo-a cair, largou a faca e tentou segurá-la.

Contudo, chegou apenas um segundo atrasado, e os dois homens berraram de horror, ao mesmo tempo, ao vê-la cair em cima da faca.

Gerald correu para a moça e viu que, ao cair, ela enfiara a mão esquerda na faca, que estava parcialmente erguida na grama. Algumas das veias menores foram rompidas, e o sangue jorrava aos montes pelo corte. Enquanto amarrava o ferimento, ele mostrou a Joshua a aliança da moça, ceifada pelo aço.

Carregaram-na desmaiada para a casa. Após certo tempo, Mary apareceu com o braço numa tipoia, e estava tranquila e contente. Ela disse ao marido:

— A cigana chegou bem perto da verdade; perto demais para que o que disse venha a ocorrer agora, querido.

Joshua inclinou-se e beijou a mão da esposa.

A CHEGADA DE ABEL BEHENNA

FAZIA UM DIA ENSOLARADO

de inícios de abril no pequeno porto de Pencastle, na Cornuália, onde o sol pelo visto chegara para ficar após um longo e severo inverno. Ousada e escura, a rocha destacava-se contra um pano de fundo azul-marinho, onde o céu, misturado à névoa, encontrava o horizonte ao longe. O mar exibia a cor típica do local — safira, a não ser onde se tornava um profundo esmeralda, nas profundezas insondáveis sob os morros, onde as cavernas marinhas abriam suas bocarras medonhas. Nos declives, a grama era de um marrom ressequido. Os arbustos pontiagudos de tojo, da cor das cinzas, contrapunham-se ao amarelo-ouro de suas flores, alinhados ao longo da encosta, brotando em fileiras entre as rochas aparentes, e restritos a trechos menores e pontos isolados até finalmente esvanecerem-se onde os ventos do mar varriam os morros protuberantes e cortavam a vegetação como se com um eterno tosquiar. Toda a encosta, com seu corpo marrom e as listas amarelas, era como um pássaro colossal.

O pequeno porto abria-se a partir do mar entre montes muito altos, e por trás de uma rocha solitária, permeada de diversas cavernas e respiradouros por onde as águas, nos dias de tempestade, lançavam sua voz trovejante, junto com uma fonte de espuma. Depois seguia para o oeste como uma serpente, guardado em sua entrada por dois píeres curvos, à esquerda e à direita. Estes consistiam basicamente de tábuas escuras dispostas de comprido e ligadas por grandes mastros unidos por bandas de ferro. Adiante, fluía pelo leito rochoso de um curso cujas torrentes de inverno havia muito abriram caminho por entre os montes. O riacho começava profundo, e aqui e ali, onde se ampliava, mostrava trechos de rocha espigada exposta na água rasa, cheios de buracos onde camarões e lagostas apareciam no refluxo da maré. Dentre as rochas erguiam-se postes fortes, usados para amarrar as pequenas embarcações costeiras que frequentavam o porto. Mais adiante, o riacho ainda fluía profundo, pois a maré percorria um bom trecho de terra, mas sempre calmo, pois toda a força das mais selvagens tempestades se interrompia ali embaixo. Pouco menos de meio quilômetro em direção ao continente, o riacho continuava profundo, mas, durante a maré baixa, havia de cada lado porções de rochas esparsas como as de lá de baixo, por cujas fendas a água doce do riacho natural respingava e murmurava na água mais rasa. Ali também se erguiam postes para ancoragem para os barcos dos pescadores. De cada lado do rio havia uma fileira de chalés construídos quase no nível da maré alta. Eram belos chalés, de construção forte e arrojada, com jardins estreitos e bem cuidados na frente, cheios de plantas à moda antiga, groselhas floridas, prímulas coloridas, goivo amarelo e suculentas. Em muitos deles, clematites e glicínias escalavam as fachadas. A moldura das janelas e os batentes das portas de todos eram brancos como a neve, e a trilha que levava à porta da frente consistia em pedrinhas de cor clara. Na entrada, alguns tinham pequenas varandas, outros, apenas bancos rústicos feitos de tronco de árvore ou barril velho; em quase todos os chalés o parapeito das janelas servia de suporte para cachepôs ou vasos de flores ou folhagens.

Dois homens moravam em chalés exatamente opostos um ao outro, nas margens do rio. Dois homens, ambos jovens, ambos atraentes, ambos prósperos e que eram companheiros e rivais desde a infância. Abel Behenna era moreno e tinha aquele tom de pele de cigano que os mineradores fenícios deixaram em seu encalço; Eric Sanson — que o antiquário local afirmava ser uma corruptela de Sagamanson — era mais claro, e tinha os cabelos acobreados que marcavam a passagem dos selvagens nórdicos. Esses dois pareciam ter eleito um ao outro desde o princípio para trabalhar e prosperar juntos, para lutar um pelo outro e ficar lado a lado em todas as empreitadas. Entretanto, acabaram deitando abaixo seu Templo de União ao se apaixonarem pela mesma garota. Sarah Trefusis era certamente a moça mais bela de Pencastle, e havia muitos rapazes que não hesitariam em tentar a sorte com ela, mas já havia dois com quem disputá-la, e cada um considerava-se o homem mais forte e determinado no porto — com exceção do outro. Os rapazes comuns achavam a situação complicada demais, e por causa disso olhavam com má vontade para os três protagonistas; já as moças, que, no pior dos cenários, tinham que aturar o resmungar de seus namorados, além da sensação que isso sugeria que elas mesmas não eram a primeira opção deles, sem dúvida não viam Sarah com muito bons olhos. Acabou que, ao longo de cerca de um ano, pois o cortejo rústico é um processo lento, os dois rapazes e a moça foram ficando cada vez mais próximos. Estavam todos satisfeitos, então não havia problema algum, e Sarah, que era vaidosa e um tanto frívola, certificou-se de se vingar tanto dos rapazes quanto das garotas, embora discretamente. Já que as moças, em seus passeios, podiam gabar-se no máximo de ter a seu lado um rapaz não muito satisfeito, não era nada agradável para elas ver seu consorte lançar um olhar cândido para uma menina mais bonita escoltada por dois devotados pretendentes.

Com o tempo foi chegando o momento que Sarah tanto temia, e que tentara manter distante — o momento em que teria de escolher um dos rapazes. Gostava dos dois e, de fato, qualquer um bastaria para satisfazer até a mais exigente das garotas. Porém, sua mente encontrava-se em tal estado que ela pensava mais no que poderia perder do que no que poderia ganhar, e sempre que achava ter finalmente se resolvido, era imediatamente assolada por dúvidas quanto à sensatez da decisão. Todas as vezes, o rapaz que ela presumia ter perdido ganhava nova e mais abundante safra de vantagens do que a que alguma vez se lhe apresentara para possível aceitação. Ela prometera a cada um que, no dia de seu aniversário, daria uma resposta, e esse dia, 11 de abril, havia chegado. As promessas foram feitas para cada um deles em confidência, mas foram feitas para homens que não se esqueciam facilmente das coisas. Logo cedo, pela manhã, lá estavam os dois rapazes zanzando em frente à casa dela. Nenhum buscara a confidência do outro; apenas aguardavam a oportunidade de obter sua resposta o quanto antes, e já ir adiantando os negócios, caso necessário. Damão, por regra, não leva Pítias consigo quando vai pedir alguém em casamento, e, no coração dos rapazes, esse assunto tinha muito mais importância que quaisquer requerimentos da amizade. Por isso, ao longo do dia, diversas vezes viram um ao outro. Para Sarah, a situação era, sem dúvida, embaraçosa e, embora esse afago na vaidade, por ser tão adorada, lhe agradasse muito, houve momentos em que ficou irritada com os rapazes por serem tão persistentes. Seu único consolo em tais momentos era constatar, a julgar pelos sorrisos elaborados das outras moças quando passavam e notavam sua porta assim, duplamente vigiada, o ciúme que invadia seus corações. A mãe de Sarah era uma pessoa de ideias sórdidas e banais e, acompanhando a situação esse tempo todo, tinha como única intenção, persistentemente expressa à filha nas mais claras palavras, que o assunto fosse arranjado de modo que Sarah arrancasse tudo que pudesse de ambos. Com tal propósito, ela se mantivera o mais distante possível, sem tomar parte no desenrolar do cortejo da filha, e observara tudo em silêncio. Inicialmente, Sarah ficara indignada com o ponto de vista sórdido da mãe; porém, como de costume, sua natureza frágil cedeu à persistência, e ela chegou ao estágio da aceitação. Não foi com surpresa que ouviu a mãe sussurrar-lhe no pequeno jardim, atrás da casa:

— Vá dar uma volta na encosta; quero falar com esses dois. Estão ambos loucos por você, e agora é a hora de resolver o assunto!

Sarah ensaiou um débil protesto, mas a mãe logo a cortou.

— Não adianta, filha; estou com a cabeça feita! Os dois rapazes a desejam, e somente um pode tê-la, mas, antes de você escolher, tudo será arranjado para que obtenha o melhor de ambos! Não discuta, menina! Vá para a encosta, e, quando tiver voltado, estará tudo arranjado... Já sei o que fazer!

Então Sarah subiu a encosta pelas trilhas estreitas por entre as flores douradas do tojo, e a sra. Trefusis uniu-se aos dois rapazes na sala de estar da pequena casa.

Ela iniciou o ataque com a coragem desesperada que tem toda mãe quando está defendendo os filhos, por mais levianas que sejam suas ideias.

— Vocês dois estão apaixonados pela minha Sarah!

O silêncio tímido dos rapazes anuiu à afirmação descarada. Ela prosseguiu.

— Nenhum dos dois possui muita coisa!

Mais uma vez, ambos aquiesceram tacitamente à suave acusação.

— Vai saber se conseguem sustentar uma mulher!

Embora nenhum tenha dito nada, o olhar e a postura expressavam clara divergência. A sra. Trefusis prosseguiu:

— Mas se vocês juntassem o que têm, criariam um lar confortável para um de vocês... e para Sarah.

A mulher fitava os rapazes com avidez, com seus olhos perspicazes semicerrados, ao falar. Satisfeita com seu escrutínio por ter a ideia aceita, apressou-se em dar sequência, como se para impedir que argumentassem:

— A menina gosta dos dois, e talvez seja difícil para ela escolher. Por que não tiram a sorte? Primeiro juntem seu dinheiro... os dois têm um pouco guardado, disso eu sei. Deixe que o ganhador pegue o montante e faça render, para então voltar e casar-se com ela. Nenhum dos dois tem medo, eu suponho. E nenhum vai dizer que não faria algo assim pela moça que dizem que amam!

Abel rompeu o silêncio:

— Não faz o menor sentido ganhar a moça na sorte! Ela mesma não gostaria disso, e não parece ser... respeitoso fazer isso com ela...

Eric interrompeu-o. Sabia que não tinha tantas chances quanto Abel caso Sarah resolvesse escolher um dos dois.

— Está com medo de perder?

— Eu não! — disse Abel, ousado.

A sra. Trefusis, vendo que sua ideia começava a funcionar, pegou carona na vantagem.

— Estamos combinados de que vão juntar seu dinheiro para arranjar um lar para ela, mesmo que tirem a sorte ou que deixem que ela escolha?

— Sim — Eric disse depressa, e Abel concordou com a mesma firmeza.

Os olhinhos astutos da sra. Trefusis cintilavam. Ela ouviu Sarah entrando pelo jardim e disse:

— Bem, lá vem Sarah. Agora é com ela. — E foi embora.

Durante seu breve passeio pela encosta, Sarah tentou tomar uma decisão. Estava quase irritada com os dois rapazes por serem a causa de sua dificuldade e, quando entrou na sala, foi curta e grossa:

— Quero ter uma conversa com vocês dois. Venham até a Pedra da Bandeira, onde podemos ficar sozinhos.

Ela pegou o chapéu e saiu da casa, seguindo pela trilha serpeante que levava à rocha íngreme coroada por um alto mastro, onde um dia ardera a fogueira dos conquistadores. Era essa pedra que formava a ponta do norte do pequeno porto. Na trilha, havia espaço para somente duas pessoas andarem lado a lado, o que denotou muito bem o teor da situação, pois que, por uma espécie de arranjo tácito, Sarah foi à frente e os dois rapazes, logo atrás, ombro a ombro, sem perdê-la de vista. A essa altura, seus corações fervilhavam de ciúme. Quando alcançaram o topo da pedra, Sarah parou de costas para o mastro, e os rapazes, de frente para ela. Sarah escolhera tal disposição de caso pensado, pois não havia espaço para nenhum dos dois ficar ao lado dela. Ficaram todos em silêncio por um tempo; então Sarah riu e disse:

— Eu prometi aos dois que daria uma resposta hoje. Andei pensando, pensando e pensando, até ficar irritada com os dois por me aborrecerem tanto, e até agora não me sinto nem um pouco capaz de tomar uma decisão.

Eric disse de repente:

— Deixe que tiremos a sorte!

Sarah não se mostrou indignada com a proposta; o eterno sugestionar da mãe a ensinara a aceitar esse tipo de coisa, e sua natureza fraca a compelia a agarrar qualquer solução para livrar-se de um imbróglio. Ela ficou olhando para baixo, dedilhando absorta a manga do vestido, como se aceitando tacitamente a proposta. Os rapazes, notando-o por instinto, tiraram uma moeda do bolso, jogaram ao alto e encobriram a palma na qual ela pousara. Por alguns segundos ficaram assim, em silêncio; então Abel, que era o mais sensato, disse:

— Sarah, acha isso certo?

Ao falar, o rapaz removeu a mão que encobria a moeda e guardou-a no bolso. Sarah ficou aborrecida.

— Certo ou errado, é bom o bastante para mim! Se não estiver de acordo, tudo bem — ela disse, ao que ele correu responder:

— Não, meu bem! Tudo que você diz é bom o bastante para mim. Estou preocupado com você, de sofrer ou se decepcionar algum dia. Se você ama mais Eric do que eu, pelo amor de Deus, diga logo, e acho que serei homem o bastante para abrir caminho. Do mesmo modo, se eu for o escolhido, não deixe que soframos pelo resto da vida!

Cara a cara com uma dificuldade, a natureza fraca de Sarah tomou as rédeas; ela levou as mãos ao rosto e começou a chorar, dizendo:

— Foi a minha mãe. Ela fica me falando coisas!

O silêncio que se seguiu foi rompido por Eric, que brigou com Abel:

— Deixe a moça em paz! Se ela prefere assim, que assim seja. É bom o bastante para mim... e para você também! Ela acabou de dizer isso, e agora tem que cumprir!

Sarah fitou-o com súbita fúria e exclamou:

— Veja lá o que fala! Que sabe você de mim? — E voltou a chorar.

Eric ficou tão embasbacado que não teve palavras para responder; ficou ali parado, com cara de bobo, boquiaberto e com as mãos estendidas, com a moeda no meio. Ficaram todos em silêncio até que Sarah tirou as mãos do rosto, soltou uma risada histérica e disse:

— Já que nenhum dos dois decide nada, eu vou para casa! — E virou-se para ir embora.

— Espere — disse Abel, num tom autoritário. — Eric, você fica com a moeda, e eu falo o que deu. Antes de definirmos, que fique bem claro: aquele que vencer pega todo o dinheiro que nós dois temos, leva para Bristol e segue viagem para fazer comércio. Depois ele retorna e se casa com Sarah, e eles ficam com tudo, seja lá o que for, que resultou do comércio. Estamos entendidos?

— Sim — disse Eric.

— Vamos nos casar no meu próximo aniversário — disse Sarah.

Tendo dito isso, a alma intoleravelmente mercenária do gesto pareceu açoitá-la e ela virou o rosto ligeiramente corado num impulso. Nos olhos dos dois rapazes ardia uma chama. Disse Eric:

— Um ano, então! Quem vencer terá um ano.

— Jogue a moeda! — exclamou Abel, e a moeda girou no ar.

Eric pegou-a e mais uma vez a manteve entre as mãos estendidas.

— Cara! — exclamou Abel, e seu rosto foi tomado de palidez enquanto falava.

Quando ele se inclinou para olhar, Sarah inclinou-se também, e suas cabeças quase se tocaram. Ele podia sentir o cabelo dela roçar sua bochecha, e um arrepio percorreu-lhe como fogo. Eric ergueu a mão de cima; a moeda jazia com a cara para cima. Abel deu um passo adiante e tomou Sarah nos braços. Soltando um palavrão, Eric lançou a moeda longe no mar. Depois se recostou no mastro, olhando feio para o casal, as mãos enfiadas nos bolsos. Abel sussurrava palavras ardentes de paixão e deleite nos ouvidos de Sarah; esta, enquanto as ouvia, começou a acreditar que a sorte interpretara corretamente os desejos secretos de seu coração, e que amava mais Abel.

Abel ergueu os olhos e viu o rosto de Eric iluminado pelo último raio do sol poente. A luz avermelhada intensificava o rubro natural da pele dele, e ele parecia embebido em sangue. Abel não deu importância à cara feia do amigo, pois, agora que seu coração estava tranquilo, sentia apenas pena dele. Deu um passo, na intenção de confortá-lo; estendeu a mão e disse:

— A sorte estava do meu lado, meu velho. Não fique chateado comigo. Tentarei fazer de Sarah uma mulher feliz, e você será como um irmão para nós dois!

— Sem essa de irmão! — foi a resposta de Eric, virando-se para ir embora.

Já tinha dado alguns passos pela trilha rochosa quando voltou. Diante de Abel e Sarah, que estavam de braços dados, ele disse:

— Você tem um ano. Aproveite-o ao máximo! E certifique-se de estar de volta a tempo de reivindicar sua mulher! Volte e anuncie o casamento a tempo de casar-se no dia 11 de abril. Se não conseguir, eu juro que farei meu anúncio, e talvez seja tarde demais para você.

— Do que está falando, Eric? Enlouqueceu?

— Não mais do que você, Abel Behenna. Pode ir; é a sua chance! Eu fico; essa é a minha. Não pretendo desistir assim tão facilmente. Sarah gostava o mesmo tanto de mim cinco minutos atrás, e pode voltar atrás cinco minutos depois que você se for! Você venceu por apenas um ponto... o jogo pode virar.

— O jogo não vai virar! — disse Abel, curto e grosso. — Sarah, você será fiel a mim? Não se casará enquanto eu não voltar?

— Por um ano! — Eric acrescentou depressa. — Esse é o trato.

— Eu prometo; por um ano — disse Sarah.

Uma expressão duvidosa percorreu o rosto de Abel, e ele esteve prestes a falar, mas controlou-se e sorriu.

— Não posso me exaltar nem me irritar agora! Vamos, Eric! Nós jogamos e nos enfrentamos. Eu venci honestamente. Joguei limpo o tempo todo! Você sabe disso tão bem quanto eu; e agora que vou embora, conto com meu bom e velho amigo para me ajudar enquanto eu estiver fora.

— Que ajudar, que nada! — disse Eric. — Que Deus me ajude!

— Foi Deus quem me ajudou — disse Abel.

— Então que Ele continue a ajudá-lo — disse Eric, irritado. — Para mim, o diabo serve! — E sem mais palavra o rapaz desceu às pressas pela trilha e desapareceu por trás das pedras.

Tendo o rival partido, Abel achou que teria um momento de ternura com Sarah, mas o primeiro comentário dela o refreou.

— Tudo parece tão solitário sem Eric!

E essa nota ressoou até quando ele a deixou em casa — e depois.

Cedo, na manhã seguinte, Abel ouviu um ruído na porta de casa e, ao sair, viu Eric afastando-se rapidamente: uma pequena sacola de lona cheia de ouro e prata jazia diante da porta; num pedacinho de papel preso a ela estava escrito:

"Pegue o dinheiro e vá. Eu fico. Deus para você! O diabo para mim! Lembre-se: dia 11 de abril. ERIC SANSON."

Na mesma tarde, Abel foi para Bristol, e uma semana mais tarde viajava no *Estrela do Mar* rumo a Pahang. Seu dinheiro — unido ao de Eric — estava a bordo na forma de brinquedos baratos. Fora aconselhado por um marinheiro velho e astuto de Bristol que conhecia, e que sabia dos meandros da península, que previra que cada centavo investido retornaria com um xelim de lucro.

Com o passar do ano, Sarah ficou com a mente cada vez mais perturbada. Eric estava sempre a postos para demonstrar afeto do seu jeito persistente e autoritário, e quanto a isso ela não fazia objeção.

Chegou somente uma carta de Abel, para contar que os negócios iam bem, e que enviara umas duzentas libras para o banco em Bristol, e trabalhava com cinquenta libras restantes em mercadoria na China, onde atracara o *Estrela do Mar* e de onde ele retornaria para Bristol. Sugeria ele que a parte de Eric na empreitada fosse-lhe devolvida com sua parcela do lucro. A proposta foi recebida com irritação por Eric; para a mãe de Sarah, foi simplesmente uma criancice.

Mais de seis meses se passaram desde então, mas não vieram mais cartas, e a esperança de Eric, minada que fora pela carta de Pahang, começou a se reerguer. O rapaz atacava Sarah o tempo todo com possibilidades. Se Abel não retornasse, ela se casaria com ele? Se passasse o dia 11 de abril e Abel não aparecesse no porto, ela desistiria dele? Se Abel tivesse tomado sua fortuna e se casado com outra garota, ela se casaria com ele, Eric, assim que descobrisse a verdade? E assim por diante, numa infinidade de possibilidades. Os efeitos da poderosa força de vontade e a intenção determinada sobre a natureza mais fraca da moça, com o tempo, ficaram evidentes. Sarah começou a perder a fé em Abel e a considerar Eric como possível marido; e um possível marido é visto pela mulher como nenhum outro homem. Uma nova afeição por ele começou a surgir-lhe no peito, e as familiaridades diárias do cortejo permitido incrementavam a crescente afeição. Sarah começou a considerar Abel como uma pedra em seu caminho, e não fosse pela mãe a lembrar-lhe constantemente da bela fortuna já depositada no Banco de Bristol, ela teria tentado fechar completamente os olhos para a existência do rapaz.

Dia 11 de abril cairia num sábado, de modo que, para que o casamento ocorresse nessa data, seria necessário fazer o anúncio no domingo, dia 22 de março. Desde o início desse mês, Eric não parou de mencionar o fato de que Abel estava ausente, e sua franca opinião de que o rapaz devia estar morto ou casado começou a ganhar ares de realidade na mente da moça. Com o passar da primeira metade do mês, Eric ficou mais contente, e depois do culto, no dia 15, levou Sarah para dar uma volta na Pedra da Bandeira. Lá, declarou-se com ardor:

— Eu disse a Abel, e também a você que, se ele não estivesse aqui para dar o anúncio do casamento a tempo para o dia 11, eu daria o meu para o dia 12. Chegou a hora de fazer isso. Ele não cumpriu com a palavra...

Nesse ponto, Sarah interrompeu-o, por fraqueza e indecisão:

— Ele ainda não quebrou a promessa!

Eric rangeu os dentes, raivoso.

— Se pretende defendê-lo — disse ele, e meteu as mãos violentamente no mastro da bandeira, pela qual se propagou um murmúrio trêmulo —, que seja. Eu manterei a minha parte no trato. No domingo, darei o anúncio do casamento, e você pode negá-lo na igreja, se quiser. Se Abel estiver em Pencastle no dia 11, ele pode cancelar o meu e fazer seu próprio anúncio; mas até lá eu vou agir, e ai daquele que ficar no meu caminho!

Dito isso, o rapaz lançou-se pela trilha rochosa, e Sarah não pôde deixar de admirar sua força e espírito nórdicos ao vê-lo cruzar o morro e seguir pelos montes em direção a Bude.

Durante a semana, nada se ouviu acerca de Abel, e no sábado Eric deu notícia de seu casamento com Sarah Trefusis. O clérigo teria reclamado com ele, pois, embora nada formal tivesse sido dito aos vizinhos, o entendimento desde a partida de Abel era de que este se casaria com Sarah quando retornasse, mas Eric recusou-se a discutir a questão.

— É um assunto doloroso, senhor — disse ele, com uma firmeza com a qual o pároco, que era um jovem rapaz, não pôde evitar se comover. — Certamente, não há nada contra Sarah ou contra mim. Por que haveriam de criar caso com esse casamento?

O pároco não disse mais nada, e no dia seguinte leu o anúncio pela primeira vez, em meio a uma audível balbúrdia da parte da congregação. Sarah estava presente, o que não era costume, e, embora corasse furiosamente, apreciou o triunfo sobre as outras moças cujos anúncios ainda não tinham sido feitos. Antes de terminar a semana, começou a fazer o vestido de noiva. Eric veio vê-la trabalhar algumas vezes, e a cena o deixava extasiado. Ele lhe dizia todo tipo de coisas amáveis nessas ocasiões; eram deliciosos momentos de carinho para ambos.

O anúncio foi lido uma segunda vez no dia 29, e a esperança de Eric foi ficando cada vez mais forte, embora o rapaz passasse por momentos de agudo desespero quando lhe ocorria que a taça da felicidade poderia ser-lhe arrancada dos lábios a qualquer momento, até o último. Nesses momentos, tomado de paixão — desesperado e sem remorso —, rangia os dentes e cerrava os punhos com violência, como se um pouco da antiga fúria destruidora de seus ancestrais ainda percorresse suas veias. Na quinta-feira da mesma semana, foi visitar Sarah e encontrou-a, banhada pela luz do sol, deitando os toques finais em seu vestido branco de noiva. Seu coração encheu-se de alegria, e ver a mulher que estava prestes a ser sua tão ocupada o preencheu de um júbilo inominável, e ele chegou a ficar zonzo, num lânguido êxtase. O rapaz inclinou-se, beijou Sarah na boca e sussurrou em seu ouvido rosado:

— Seu vestido de noiva, Sarah! Para casar-se comigo!

Quando ele recuou para admirá-la, Sarah olhou-o com atrevimento e disse:

— Talvez não com você. Abel ainda tem mais de uma semana para voltar! — E soltou uma exclamação de desalento, pois, com um gesto violento e uma praga feroz, Eric voou para fora da casa, batendo a porta ao sair.

O incidente perturbou Sarah mais do que ela julgara possível, pois acordou todos os seus medos e as dúvidas e a indecisão. Após chorar um pouco, pôs de lado o vestido e, para acalmar-se, quis se sentar um pouco no topo da Pedra da Bandeira. Ao chegar lá, deu com um pequeno grupo discutindo ansiosamente sobre o clima. O mar estava calmo e o sol brilhava, mas ao longe, sobre o mar, reuniam-se estranhas faixas de escuridão e luz, e mais para perto da costa as rochas eram açoitadas por espuma, que se espalhava em grandes curvas e círculos esbranquiçados ao sabor das correntes. O vento recuara e vinha em lufadas fortes e geladas. O respiradouro debaixo da Pedra da Bandeira, da baía rochosa até o porto, explodia em intervalos, e as gaivotas berravam incessantemente, circundando a entrada do porto.

— Que tempo feio. — Ela ouviu um velho pescador dizer a um guarda. — Já vi desse jeito uma vez, quando o *Coromandel*, das Índias Ocidentais, foi partido em mil pedaços na baía de Dizzard!

Sarah não quis ouvir mais nada. Possuía natureza frágil quando o assunto era perigo, e não suportava ouvir falar de naufrágios e desastres. Foi para casa e retomou a conclusão do vestido, secretamente determinada a apaziguar Eric quando o encontrasse, com um doce pedido de desculpas — e aproveitar a primeira oportunidade de estar quite com ele depois do casamento. A profecia do velho pescador acerca do tempo foi confirmada. À noite, no crepúsculo, chegou uma terrível tempestade. O mar ergueu-se e lançou-se contra as costas ocidentais de Skye a Scilly, deixando um rastro de destruição por onde passou. Os marinheiros e os pescadores de Pencastle foram todos para as pedras e morros, onde ficaram de vigia, angustiados. No lampejo de um relâmpago, avistaram um brigue vagando sob apenas uma vela a pouco menos de um quilômetro do porto. Todos os olhos e todas as lentes concentraram-se nele, à espera de novo clarão, e quando este veio, ergueu-se o coro afirmando tratar-se do *Adorável Alice*, que levava mercadoria de Bristol a Penzance, tocando todos os portos menores no caminho.

— Que Deus os ajude — disse o mestre do porto —, pois nada poderá salvá-los quando estiverem entre Bude e Tintagel, com o vento na costa!

Os guardas fizeram grande esforço e, com o apoio de bravos corações e mãos dispostas, trouxeram o aparato do foguete ao topo da Pedra da Bandeira. Lá soltaram luzes azuladas para que os marinheiros a bordo vissem que o porto estava à disposição, caso pudessem ao menos tentar alcançá-lo. Estes trabalharam corajosamente no convés, mas nem habilidade nem força surtiram efeito. Em questão de minutos, o *Adorável Alice* rumou para seu fim na grande ilha rochosa que guardava a entrada do porto. Os gritos dos marujos foram trazidos, fracos, pelos ventos, conforme eles se lançavam para o mar, na última tentativa de salvar suas vidas. As luzes azuis continuavam a brilhar, e olhos ávidos fitavam as profundezas das águas para o caso de avistarem um rosto; cordas estavam prontas para ser lançadas ao resgate. Contudo, nenhum rosto aparecia, e os braços tão dispostos aguardavam, inúteis. Eric era um desses homens. Sua origem islandesa jamais ficara tão evidente quanto nesse momento difícil. Ele pegou uma corda e gritou no ouvido do mestre do porto:

— Vou para a pedra da caverna. A maré está subindo, e alguém pode aparecer por ali!

— Fique onde está, homem! — foi a resposta. — Você enlouqueceu? Um escorregão naquela pedra e será morte certa: e homem nenhum consegue ficar ali, no escuro, num lugar como aquele, numa tempestade dessas!

— Pelo contrário! — veio a resposta. — Já esqueceu que Abel Behenna me salvou ali numa noite como esta, quando meu barco foi parar na Pedra da Gaivota? Ele me tirou da água, na caverna, e agora alguém pode ir parar lá, como aconteceu comigo. — E, dizendo isso, o rapaz sumiu na escuridão.

A rocha protuberante bloqueava a luminosidade da Pedra da Bandeira, mas ele conhecia o caminho bem demais para se perder. A ousadia e a certeza de suas passadas o levaram rapidamente para a grande rocha arredondada desbastada pela ação das ondas na entrada da caverna, onde a água era insondável. Ali ele se encontrava em relativa segurança, pois o formato côncavo da rocha rebatia as ondas com a própria força destas e, embora a água logo abaixo parecesse borbulhar como um caldeirão em fervura, pouco além desse ponto havia um espaço de calmaria quase total. A rocha parecia também bloquear o barulho da ventania, e ele procurou aguçar os ouvidos tanto quanto os olhos. Preparado como estava, com a corda pronta para lançar, pensou ter ouvido logo abaixo, pouco além do rodamoinho de água, um grito distante de desespero. Ele respondeu com um berro que ecoou noite afora. Depois ficou esperando pelo clarão do relâmpago, e quando este veio, lançou a corda para a escuridão no ponto onde vira um rosto emergindo do turbilhão de espuma. Pegaram a corda, pois ele sentiu que a puxavam, e gritou de novo numa voz poderosa:

— Amarre em volta da cintura e eu o puxarei!

Quando sentiu que a corda estava presa, percorreu a rocha até o lado oposto da caverna, onde a água estava mais calma e onde poderia posicionar-se com segurança suficiente para puxar o homem para a rocha protuberante. Começou a puxar, e em pouco tempo soube, pela quantia de corda que puxara, que o homem que estava resgatando estava prestes a surgir na beirada da rocha. Eric parou por um segundo para juntar forças, respirou fundo e achou que no puxão seguinte completaria o resgate. Ele acabava de inclinar-se para o esforço quando um clarão de relâmpago revelou a cada um quem era o outro — salvador e resgatado.

Eric Sanson e Abel Behenna viram-se cara a cara — e ninguém mais testemunhava o encontro, a não ser Deus.

Nesse momento, uma onda de paixão inundou o coração de Eric. Todas as suas esperanças estilhaçadas, e foi com os olhos de Caim que encarou seu oponente. Ele viu, no instante em que se reconheceram, a alegria no rosto de Abel por ser justo ele quem o socorria, e isso apenas intensificou seu ódio. Tomado ainda pela paixão, Eric recuou, e a corda soltou-se de suas mãos. O lapso de ódio foi seguido por um impulso de seu lado bondoso, mas já era tarde demais.

Antes que pudesse se recuperar, Abel atrapalhou-se com a corda que deveria tê-lo ajudado e mergulhou, com um berro de desespero, de volta na escuridão do mar furioso.

Então, sentindo a loucura e a desgraça de Caim sobre os ombros, Eric voltou correndo pelas pedras, sem ligar para o perigo, ávido somente por uma coisa — estar no meio de outras pessoas cujo barulho pudesse abafar aquele último grito que parecia ainda ecoar nos seus ouvidos. Quando alcançou a Pedra da Bandeira, os homens o cercaram, e em meio à fúria da tempestade ele ouviu o mestre do porto dizer:

— Achamos que tínhamos perdido você quando ouvimos um grito! Como está branco! Onde está sua corda? Havia alguém lá embaixo?

— Ninguém — ele gritou em resposta, pois achava que jamais poderia explicar que deixara seu velho amigo escorregar de volta para o mar, e no mesmo lugar e sob as mesmas circunstâncias em que este salvara a sua vida. Rogava que com essa mentira descarada pudesse enterrar o assunto para sempre. Não houve testemunha, e se fosse seu destino suportar aquele rosto branco nos olhos e aquele grito de desespero nos ouvidos para sempre, pelo menos ninguém saberia de nada. — Ninguém — ele exclamou, ainda mais alto. — Escorreguei na pedra, e a corda caiu no mar!

Dito isso, afastou-se, desceu correndo a trilha íngreme, entrou em seu chalé e trancou-se lá. O restante da noite, Eric passou deitado na cama — vestido e imóvel —, olhando para o teto, vendo, na escuridão, um rosto pálido brilhando de molhado sob o clarão do raio, a alegria por ver um rosto amigo transformada em terrível desespero, e ouvindo um grito que não parava de ecoar em sua alma.

Pela manhã, a tempestade já tinha passado e tudo era calmaria, exceto pelo mar, que continuava violento, com sua fúria ainda por extenuar. Pedaços enormes do navio destruído vagavam até o porto, e o mar em torno da ilha estava cheio deles. Dois corpos também alcançaram o cais — um era do mestre do brigue naufragado, o outro, de um marinheiro que ninguém conhecia.

Sarah não viu Eric até o anoitecer, e ele ficou pouco tempo quando foi vê-la. Não entrou na casa, só meteu o rosto pela janela aberta.

— Ei, Sarah — disse ele, falando alto, embora para ela parecesse distante —, o vestido está pronto? No domingo, certo? No domingo!

Sarah ficou feliz por reconciliar-se tão facilmente com ele; porém, quando viu que a tempestade terminara e seus receios não tinham mais fundamento, apressou-se em repetir a causa da ofensa.

— No domingo, então — disse, sem erguer os olhos —, se Abel não chegar até sábado!

Foi com atrevimento que ergueu o rosto, embora com o coração cheio de medo de que seu impetuoso noivo tivesse outro acesso de raiva. Contudo, não havia ninguém na janela; Eric tinha ido embora, e fazendo biquinho ela retomou o trabalho. Não viu mais Eric até a tarde de domingo, depois de anunciado o casamento pela terceira vez, quando ele se aproximou dela, no meio de todo mundo, com ares de posse que a deixaram tão satisfeita quanto incomodada.

— Ainda não, senhor! — disse ela, afastando-o, sob os risinhos das outras moças. — Espere até o domingo seguinte, por favor... no dia seguinte ao sábado! — ela acrescentou, encarando-o atrevida.

As meninas riam baixinho; os rapazes gargalhavam. Achavam que tinha sido a censura que tanto comovera Eric que estava até pálido quando se retirou. Sarah, porém, que sabia mais que os outros, achou graça, pois viu no rosto dele uma expressão de vitória misturada à de dor.

A semana passou sem incidentes; contudo, cada vez mais perto de sábado, Sarah tinha momentos ocasionais de ansiedade; já Eric zanzava durante a noite como um homem possuído. Continha-se quando havia gente por perto, mas vez por outra descia para as pedras e cavernas e gritava bem alto. Isso parecia acalmá-lo um pouco, e ele conseguia conter-se por mais tempo depois. O sábado inteiro ele passou dentro de casa; não saiu nenhuma vez. Como estava para se casar no dia seguinte, os vizinhos acharam que era apenas timidez, e não foram incomodá-lo. Somente uma vez o perturbaram, e foi quando o barqueiro-chefe apareceu, sentou-se ao lado dele e, após uma pausa, disse:

— Eric, eu estive em Bristol ontem. Fui à loja comprar corda para substituir a que você perdeu na noite da tempestade, e lá encontrei Michael Heavens, que tem uma loja lá. Ele me contou que Abel Behenna chegara ali na semana passada, no *Estrela do Mar*, vindo de Cantão, e que depositara uma boa quantia de dinheiro no Banco de Bristol em nome de Sarah Behenna. Ele mesmo contou isso a Michael, e disse que comprara passagem para Pencastle no *Adorável Alice*. Acalme-se, homem — disse ele, pois Eric soltara um grunhido e baixara a cabeça sobre os joelhos, cobrindo o rosto com as mãos. — Vocês foram amigos por muito tempo, eu sei, mas você não tinha como ajudá-lo. Ele deve ter perecido como todos os outros naquela noite terrível. Achei melhor lhe contar, para que não ficasse sabendo de outro jeito, e quem sabe possa evitar que Sarah Trefusis leve um choque. Eles foram bons amigos, e as mulheres sofrem muito mais com essas coisas. Não seria nada bom a moça receber uma notícia dessas logo no dia do casamento!

O barqueiro então se levantou e foi embora, deixando Eric ainda desconsolado, com a cabeça nos joelhos.

— Pobre rapaz! — murmurou consigo o barqueiro. — Está sofrendo muito. É assim mesmo. Assim mesmo. Foram grandes amigos, e Abel lhe salvou a vida!

Na tarde desse dia, as crianças saíram da escola e foram passear, como sempre faziam quando tinham tempo livre, ao longo do cais e pelas trilhas dos montes. De repente, algumas delas vieram correndo num estado de grande empolgação para o porto, onde havia homens descarregando um brigue de carvão e muitos outros supervisionando a operação. Uma das crianças exclamou:

— Tem uma toninha na entrada do cais! Nós a vimos passar pelo respiradouro! Tinha rabo comprido e estava nadando bem fundo!

— Que toninha, que nada — disse outro. — Era uma foca; mas de rabo comprido! Ela veio da caverna!

As outras crianças deram diversos testemunhos, mas em dois pontos foram unânimes: a criatura, fosse qual fosse, tinha vindo do respiradouro, nadando bem fundo, e possuía cauda longa e fina — uma cauda tão comprida que não dava para ver a ponta. A essa altura, os homens já caçoavam das crianças sem dó, porém, como ficou evidente que elas tinham mesmo visto alguma coisa, um bom número de pessoas, jovens e idosas, homens e mulheres, percorreu os trechos elevados de cada lado da boca do porto para tentar avistar essa nova adição à fauna marinha, uma toninha ou foca de cauda longa. A maré subia. Ventava um pouco, e a superfície da água ondulava tanto que somente em alguns momentos dava para ver com clareza o fundo do mar. Após certo tempo de observação, uma mulher avisou que vira algo se movendo pelo canal, pouco abaixo de onde estava. Deu-se então uma correria para esse ponto, porém, quando a multidão reuniu-se, a brisa se acalmara, e ficou impossível enxergar com distinção qualquer coisa abaixo da superfície. Ao ser questionada, a mulher descreveu o que vira, mas de modo tão incoerente que a coisa toda foi relegada como efeito da imaginação; não fosse o relato das crianças, o da mulher teria sido desconsiderado de todo. A alegação quase histérica de que o que tinha visto era "como um porco com as entranhas de fora" foi notada apenas por um velho guarda, que sacudiu a cabeça, mas não comentou nada. Enquanto não terminou o dia, esse homem foi visto ao longo da margem, olhando para a água, mas sempre com o desapontamento estampado no rosto.

Eric acordou cedo na manhã seguinte — não dormira a noite toda, e foi um alívio para ele poder movimentar-se quando raiou o dia. Fez a barba com mão firme e vestiu as roupas para o casamento. O rosto era o de um homem abatido, e ele sentia como se tivesse envelhecido muitos anos em questão de dias. Entretanto, ainda havia um brilho intenso de triunfo em seu olhar, e ele não parava de murmurar para si mesmo:

— Hoje é o dia do meu casamento! Abel não vai mais ficar com ela... nem vivo, nem morto! Nem vivo, nem morto! Nem vivo, nem morto!

Sentou-se numa poltrona e ficou aguardando, com indelével tranquilidade, que chegasse a hora de ir à igreja. Quando o sino começou a tocar, Eric saiu de casa e fechou a porta. Olhou para o riacho e viu a maré alta. Na igreja, sentou-se junto de Sarah e da sogra, e ficou segurando a mão da noiva com força o tempo todo, como se temesse perdê-la. Terminada a missa, levantaram-se juntos e foram casados na presença de toda a congregação, pois ninguém saiu da igreja. Ambos fizeram seus votos em alto e bom som — o de Eric soou até desafiador. Feito o casamento, Sarah tomou o braço do marido e saíram andando lado a lado; as crianças todas foram censuradas pelos mais velhos para não atrapalhar, pois teriam facilmente seguido o casal de perto.

A rua da igreja dava nos fundos do chalé de Eric, uma passagem estreita entre este e o chalé do vizinho. Assim que o casal cruzou a passagem, o restante da congregação, que os vinha seguindo a certa distância, levou um susto, pois a noiva soltou um grito de horror. Todos correram pela passagem e a encontraram na margem, de olhos esbugalhados, apontando para o leito do rio defronte à casa de Eric.

A maré depositara ali, sobre as rochas, o corpo flácido de Abel Behenna. A corda amarrada em sua cintura enrolara-se, com o mover da corrente, no poste de ancoragem, e o mantivera ali quando a maré o abandonou. O cotovelo direito jazia sobre uma fenda nas pedras, deixando a mão estendida apontada para Sarah, com a palma virada para cima, como se esperando para receber a dela, os dedos flácidos abertos para o toque.

Tudo que aconteceu depois, Sarah Sanson nunca soube direito. Sempre que tentava relembrar, ouvia um zumbido nos ouvidos e sua visão parecia turvar, e tudo isso passava. A única coisa de que se lembrava — e disso ela nunca se esqueceu — era o marido, ofegante, com o rosto ainda mais pálido que o do defunto, murmurando baixinho:

— O diabo ajuda! O diabo aceita! O diabo cobra!

O ENTERRO DOS RATOS

SAINDO DE PARIS PELA RUA ORLEANS,

cruzando o Enceinte e pegando a direita, você vai se deparar com um distrito um tanto rústico e nem um pouco agradável. À direita e à esquerda, à frente e atrás, por todos os lados erguem-se grandes montes de poeira e detrito acumulados com o passar do tempo.

Paris tem sua vida noturna e sua vida diurna, e o peregrino que entra em seu hotel na rue de Rivoli ou na rue St. Honore tarde da noite ou sai muito cedo, de manhã, pode adivinhar, ao aproximar-se de Montrouge — se já não o fez —, o propósito daquelas carroças enormes que mais parecem caldeiras sobre rodas que encontra paradas por onde quer que passe.

Toda cidade tem suas instituições peculiares criadas por necessidade; e uma das mais notáveis instituições de Paris é sua população de catadores de rua. Bem cedo, de manhã — e a vida parisiense começa bem cedo —, podem-se ver na maioria das ruas, do lado oposto de cada quadra ou alameda e entre algumas casas, como ainda se vê em algumas cidades americanas, até mesmo em partes de Nova York, grandes caixas de madeira nas quais os moradores ou pensionistas esvaziam a sujeira acumulada do dia que passou. Ao redor dessas caixas, reúnem-se e vão passando, terminado o serviço, para novos locais de laboro e novas vidas, homens e mulheres esquálidos cujo material de trabalho consiste numa bolsa ou cesta rústica pendurada sobre o ombro e um ancinho com o qual reviram e sondam e examinam minuciosamente as caixas de lixo. Pescam e depositam em seus cestos, com a ajuda do ancinho, qualquer coisa que encontram, com a mesma facilidade com que um chinês usa seus pauzinhos.

Paris é uma cidade de centralização — e a centralização e a classificação são aliadas muito próximas. No começo, quando a centralização está para tornar-se um fato, sua precursora é a classificação. Todas as coisas que são similares ou análogas são agrupadas juntas, e desse reunir de grupos surge um todo, ou ponto central. Nós o vemos irradiar muitos braços compridos e inúmeros tentáculos, e no centro ergue-se uma cabeça gigantesca com cérebro inteligente e olhos ávidos por olhar para todo canto e ouvidos sensíveis aos sons — e uma boca voraz para engolir.

Outras cidades lembram todos os pássaros e bichos e peixes cujos apetite e digestão são normais. A própria Paris é a apoteose analógica do polvo. Produto da centralização levada *ad absurdum*, representa muito bem o peixe diabólico; e em nenhum outro aspecto a analogia é mais curiosa do que na similaridade do aparato digestivo.

Os turistas inteligentes que, tendo cedido sua individualidade às mãos dos *messieurs* Cozinheiro ou Observador, visitam Paris em três dias costumam se perguntar como é que o jantar que em Londres custaria cerca de seis xelins pode ser saboreado por três francos num café na Palais Royal. Não se admirariam se considerassem a classificação que é uma especialidade teórica da vida parisiense e adotassem para tudo o fato do qual o *chiffonier** obtém sua gênese.

A Paris de 1850 não era como a Paris de hoje, e aqueles que veem a Paris de Napoleão e do Barão Haussman mal podem compreender a existência da organização das coisas de 45 anos atrás.

Entre outras coisas, entretanto, que não mudaram estão aqueles distritos onde se juntam os restos. Restos são restos no mundo inteiro, em qualquer época, e a semelhança dos montes de restos é perfeita. O viajante, portanto, que visita as cercanias de Montrouge pode retornar por completo, e sem dificuldade, ao ano de 1850.

Nesse ano, eu fazia uma estada prolongada em Paris. Estava deveras apaixonado por uma moça que, embora retribuísse o sentimento, cedia tanto aos desejos dos pais que prometera não mais ver-me nem se corresponder comigo por um ano. Eu também fora compelido a aceitar tais condições sob a vaga esperança da aprovação dos pais. Durante o período da experiência, eu prometera ficar fora do país e não escrever à minha amada até que terminasse o ano.

Naturalmente, o tempo castigou-me bastante. Não havia uma pessoa de minha família ou convívio que pudesse me contar qualquer coisa de Alice, e ninguém da parte dela, sinto dizer, teve generosidade suficiente para me dar uma ou outra palavra de conforto acerca de sua saúde e bem-estar. Passei seis meses zanzando pela

---

*   Trapeiro; indivíduo que cata papéis e trapos nas ruas para vender.

Europa, mas, como não encontrei nenhuma distração satisfatória nas viagens, resolvi vir a Paris, onde, pelo menos, estaria perto de Londres caso algum motivo fortuito me convocasse para lá antes do tempo combinado. Que "a esperança deferida faz mal ao coração" nunca foi mais bem exemplificado do que no meu caso, pois, além do desejo perpétuo de ver o rosto da minha amada, convivia comigo o receio angustiante de que algum acidente me impediria de mostrar a Alice no momento adequado que, ao longo de todo o período de afastamento, eu fora fiel à sua confiança e ao meu amor. Por isso, cada aventura que eu vivia dava-me um prazer ardente todo seu, pois vinha carregada de possíveis consequências muito mais importantes do que teria normalmente.

Como todo viajante, eu exauri os lugares de maior interesse no primeiro mês de minha estadia, e fui levado, no mês seguinte, a procurar diversão onde quer que fosse. Tendo feito diversas visitas aos subúrbios mais conhecidos, comecei a descobrir que havia uma terra incógnita, pelo menos no que tangia ao guia ilustrado, na selva social que existia entre essas outras atrações. Doravante, comecei a sistematizar minhas pesquisas, e cada dia eu retomava a trilha da minha exploração no ponto em que, no dia anterior, eu a largara.

Com o passar do tempo, meus passeios me levaram para perto de Montrouge, e vi que por ali ficava a *Ultima Thule** de minha exploração social — local tão pouco conhecido quanto as terras que circundam a nascente do Nilo Branco. E então decidi investigar filosoficamente o *chiffonier* — seu habitat, sua vida, seu comportamento.

O trabalho era do mais árduo, difícil de realizar e oferecia fraca perspectiva de recompensa à altura. Contudo, contrária à razão, a obstinação prevaleceu, e adentrei minha nova investigação com energia mais afiada do que poderia ter conjurado para me ajudar em qualquer investigação que levasse a qualquer fim, valoroso ou recompensador.

Certo dia, no fim de uma bela tarde, lá para fins de setembro, entrei no mais sagrado dos locais sagrados da cidade do pó. O lugar

---

* Região distante e desconhecida; o limite extremo da viagem e do descobrimento.

era evidentemente a morada de uma variedade de *chiffoniers*, pois algum tipo de arranjo manifestava-se na formação de montes de lixo perto da rua. Passei por entre esses montes, que mais pareciam sentinelas a postos, determinado a penetrar a fundo e seguir os resíduos até sua localização correta.

Ao passar, vi, por trás dos montes de lixo, figuras que esvoaçavam daqui para lá, evidentemente vendo com interesse o advento de um estranho num lugar como aquele. O distrito era como uma pequena Suíça, e conforme eu prosseguia, minha trilha tortuosa escondia o caminho que ficava para trás.

Finalmente entrei no que parecia ser uma pequena cidade ou comunidade de *chiffoniers*. Havia vários barracos ou choupanas, do tipo com que se depara nas porções mais remotas do Brejo de Allan — casebres rústicos de paredes de palha entrelaçada, emplastados de lama com teto rude de sapé feito com restos de estábulo —, lugar do tipo em que ninguém gostaria de entrar por motivo nenhum, e que até mesmo pintado em aquarela poderia no máximo parecer pitoresco, e isso se retratado cuidadosamente. No meio dessas choupanas, havia a mais estranha das improvisações — não ouso dizer habitações — que eu já tinha visto. Um imenso armário, o colossal remanescente de algum *boudoir* de Charles VII, ou Henrique II, fora convertido em moradia. As portas duplas ficavam abertas, de modo que o ménage inteiro vivia aberto para o público. Uma das metades do armário era uma sala de estar de um por dois, nos quais estavam sentados, fumando cachimbo em volta de um braseiro cheio de carvão, não menos do que seis velhos soldados da Primeira República, de uniformes rasgados, em frangalhos. Evidente que faziam parte da classe dos *mauvais sujet*;* os olhos turvos e o queixo caído mostravam claramente o amor que partilhavam pelo absinto, e o olhar tinha aquela expressão abatida e decaída da ferocidade sonolenta que aparece com intensidade no rastro da bebida. A outra porção continuava como sempre fora, com as estantes intactas, exceto por terem sido cortadas até a metade, e em cada uma das seis estantes

---

* Alguém inútil, desagradável.

que havia ali montaram camas com farrapos e palha. A meia dúzia de nobres que habitava a estrutura olhou-me com curiosidade quando eu passei; quando olhei para trás, após ter caminhado um pouco adiante, vi seus rostos reunidos numa assembleia sussurrada. Não gostei nem um pouco disso, pois o lugar era ermo demais, e os homens pareciam muito, muito perigosos. Contudo, não vi motivo para ter medo, e segui no meu caminho, penetrando cada vez mais no Saara. A trilha era tortuosa até certo ponto e, dando voltas numa série de semicírculos, como os patinadores fazem na manobra conhecida como *dutch roll*, em que um faz sombra ao outro, fiquei bastante confuso com relação aos pontos da bússola.

Quando entrei numa pequena trilha, ao virar numa pilha mais baixa, vi um velho soldado de casaco puído sentado num monte de feno.

— Olha só! — disse eu para mim mesmo. — A Primeira República está muito bem representada aqui com seus soldados.

Enquanto eu passava, o homem nem olhou para mim, pois fitava o chão com parva persistência. Mais uma vez, comentei baixinho:

— Isso é que faz uma vida de guerrilha! A curiosidade desse homem já é coisa do passado.

Entretanto, eu tinha dado alguns passos quando olhei para trás e vi que a curiosidade não estava morta, pois o veterano tinha erguido o rosto e me observava com uma expressão das mais esquisitas. Tive a impressão de que era muito similar aos seis homens prensados no armário. Quando me viu olhando, o homem baixou o olhar. Sem pensar mais nele, segui adiante, achando interessante haver uma estranha similaridade entre todos aqueles velhos combatentes.

Mais tarde, encontrei outro soldado velho nas mesmas circunstâncias. Esse também não me notou quando passei por ele.

A essa altura, a tarde já se alongava, e comecei a pensar em voltar pelo mesmo caminho. Por isso, dei meia-volta, mas deparei com várias trilhas entre os muitos montes e não tive certeza de qual deveria seguir. Tão perplexo estava, quis que houvesse alguém a quem perguntar qual era o caminho, mas não vi ninguém. Resolvi passar por alguns montes para ver se aparecia alguém — não um veterano de guerra.

Consegui meu objetivo, pois, após caminhar umas centenas de metros, deparei com um único barraco, como os que vira antes — com a diferença, entretanto, de que este não servia para morar, pois não passava de um teto com três paredes, aberto na frente. Pelas evidências exibidas pela vizinhança, julguei que o local servia para a seleção. Lá dentro havia uma velha toda enrugada, castigada pela idade; aproximei-me para pedir direções.

Ela se levantou quando cheguei mais perto, e perguntei sobre o caminho. De imediato, ela começou a conversar, e ocorreu-me que ali, bem no centro do Reino do Lixo, era o melhor lugar para obter detalhes da história da catação de restos de Paris — principalmente por poder obtê-los dos lábios daquela que parecia ser a moradora mais antiga.

Comecei minhas perguntas e a senhora me deu as respostas mais interessantes — ela fora um dos expectadores que frequentavam diariamente a guilhotina e participara ativamente do grupo de mulheres que se destacaram pela violência durante a revolução. Enquanto conversávamos, de repente ela disse:

— Mas monsieur deve estar cansado de estar de pé. — E tirou a poeira de um banquinho raquítico para eu me sentar.

Eu não queria muito aquiescer, por vários motivos, mas a pobre mulher foi tão polida que eu não quis correr o risco de magoá-la ao recusar; ademais, conversar com alguém que tomara parte da queda da Bastilha era algo tão interessante que me sentei, e retomamos nossa conversa.

Ainda conversávamos quando um idoso — ainda mais velho, encurvado e enrugado que a mulher — apareceu de detrás do barraco.

— Esse é o Pierre — disse ela. — Monsieur pode ouvir histórias agora, se quiser, pois Pierre viu tudo, da Bastilha a Waterloo.

O homem pegou outro banco, como sugeri, e mergulhamos num mar de lembranças das revoluções. Esse senhor, embora vestido como um espantalho, era semelhante aos seis veteranos.

Eu estava agora sentado no centro do barraco, com a mulher à minha esquerda e o homem à minha direita, cada um deles um pouco à minha frente. O lugar era cheio de toda sorte de penduricalhos curiosos de madeira, muitos dos quais eu queria ver longe de mim. Num canto havia uma pilha de farrapos que parecia mexer-se pela quantidade de insetos que continha, e no outro uma pilha de ossos cujo odor era chocante. Vez por outra, ao olhar para essas pilhas, pude ver os olhos brilhantes dos ratos que infestavam o lugar. Esses objetos odiosos eram ruins o bastante, mas o que parecia ainda mais medonho era um velho cutelo de açougueiro com punho de ferro salpicado de sangue recostado na parede do lado direito. Mesmo assim, todas essas coisas não me preocupavam tanto. A fala dos dois idosos era tão fascinante que fiquei por ali até que veio a noite e os montes de lixo passaram a projetar sombras espessas nos vales que os entremeavam.

Após certo tempo, comecei a ficar apreensivo. Não sabia dizer como ou por que, mas por algum motivo eu não estava contente. A inquietude é um instinto, e indica perigo. As faculdades psíquicas em geral são as sentinelas do intelecto e, quando soam o alarme, a razão começa a agir, embora talvez sem que percebamos.

Foi assim que me aconteceu. Comecei a refletir sobre onde estava e o que me cercava, e a ponderar sobre como reagiria caso fosse atacado; e então fui tomado subitamente pela ideia, embora sem motivo evidente, de que estava em perigo. A prudência sussurrou-me: "Fique quieto e não dê sinais", e então fiquei quieto e não dei sinais, pois sabia que dois pares de olhos aguçados me observavam. "Dois pares — ou talvez mais." Meu Deus, que pensamento terrível! O barraco todo podia estar cercado de vilões pelos três lados! Eu podia estar no meio de um bando de desesperados que somente meio século de revolução intermitente pode produzir.

Com a percepção do perigo, meu intelecto e minha observação foram ativados, e fiquei mais receoso do que de costume. Notei que a mulher olhava constantemente para as minhas mãos. Olhei para elas também e vi o motivo — meus anéis. No dedinho da mão esquerda eu tinha um sinete grande; no da direita, um belo diamante.

Pensei que, se houvesse mesmo algum perigo, meu primeiro cuidado deveria ser evitar a suspeição. Doravante, comecei a guiar a conversa para o catar de lixo — para os drenos —, das coisas que se encontravam lá; e assim, aos poucos, para as joias. Então, aproveitando uma oportunidade favorável, perguntei à mulher se entendia algo dessas coisas. Ela respondeu que entendia um pouco. Estendi-lhe minha mão direita e, mostrando-lhe o diamante, perguntei o que achava dele. Ela respondeu que sua vista andava ruim, e reclinou-se para a minha mão. O mais indiferente que pude, eu disse:

— Perdoe-me! Verá melhor assim. — E tirei o anel e entreguei-lhe.

Uma luminosidade profana espalhou-se por seu rosto envelhecido quando ela o tocou. Ela me olhou de soslaio, ligeira e astuta, como num lampejo de raio.

Por um instante, ficou curvada sobre o anel, o rosto meio escondido enquanto o examinava. O homem, sem tirar os olhos da entrada do barraco, pôs-se a fuçar nos bolsos, de onde tirou uma porção de tabaco num papelzinho e um cachimbo, que começou a preencher. Tirando vantagem da pausa e do descanso momentâneo daqueles olhares perscrutadores, dei uma boa olhada no lugar, agora escuro e sombreado pelo anoitecer. Continuavam espalhadas ao redor todas as pilhas de sujeira fedorenta de todo tipo; lá estava o terrível cutelo sujo de sangue, recostado na parede, no canto direito; e ao redor, apesar da luz fraca, o brilho maligno dos olhos dos ratos. Eu podia vê-los por entre as frestas das placas na porção inferior das paredes, perto do chão. Mas um momento! Alguns desses olhos pareciam muito maiores e brilhantes e malignos!

Por um momento, meu coração parou, e senti uma tontura, como alguém que se encontra numa espécie de embriaguez espiritual, como se o corpo se mantivesse ereto somente por não ter tempo de cair antes de recuperar-se. Porém, no momento seguinte, fiquei calmo — calmo e frio, com toda a minha energia em vigor total, com um autocontrole que me parecia perfeito e todos os sentidos e instintos em alerta.

Foi então que compreendi toda a extensão do perigo: eu estava cercado, sendo vigiado por um monte de pessoas desesperadas! Não podia nem imaginar quantos deles estavam ali deitados no chão, atrás do barraco, esperando pelo momento de atacar. Claro que eu sabia que eu era grande e forte, e eles também sabiam. Sabiam também, como eu, que eu era inglês e não me entregaria sem luta, e então aguardamos. Eu sentia que ganhara certa vantagem nos últimos segundos, pois sabia do perigo e compreendia a situação. Até então, eu pensava que aquilo seria apenas o teste da minha coragem — da minha resiliência: o teste da luta viria mais tarde!

A idosa ergueu o rosto e me disse, num tom quase de satisfação:

— Um anel muito bom, de fato... um anel lindo! Ai de mim, eu já tive anéis como este, tantos deles, e braceletes e brincos! Ah, pois nessa época boa eu era terrível! Mas agora todos já se esqueceram de mim! Esqueceram? Ora, nunca nem ouviram falar de mim! Talvez seus avós se lembrem, alguns deles! — E deu uma risada rouca e entrecortada.

O que fez em seguida devo dizer que me deixou atônito: ela me devolveu o anel num gesto tão cheio de uma graça de outros tempos que não passou despercebido.

O idoso a fitou com uma espécie de ferocidade súbita, levantando-se um pouco do banco, e me disse de repente, numa voz rouca:

— Deixe-me ver!

Eu estava prestes a entregar-lhe o anel quando a senhora disse:

— Não! Não o dê a Pierre! Pierre é um excêntrico. Ele perde as coisas; e um anel bonito desse!

— Ora! — disse o homem, violento.

De repente a idosa retrucou, muito mais alto do que o necessário:

— Espere! Deixe-me contar algo sobre um anel.

Havia algo no som da voz dela que me deu uma sensação ruim. Talvez fosse minha sensibilidade, tenso que estava com esse ápice de nervosismo, mas cheguei a pensar que ela não estava se dirigindo a mim. Olhando de relance ao redor do barraco, vi os olhos dos ratos por entre as pilhas de ossos, mas não vi mais os que estavam atrás de mim. Entretanto, enquanto eu olhava, eles tornaram a aparecer. A intervenção da velha adiara um pouco o ataque, e os homens voltaram a sua postura mais relaxada.

— Uma vez, eu perdi um anel... um lindo anel de diamante que pertencera a uma rainha, e que me fora dado por um cobrador de impostos, que depois cortou a própria garganta porque eu o mandei embora. Achei que o anel tinha sido roubado, e cobrei dos empregados, mas não havia rastro dele. A polícia veio e sugeriu que tinha ido parar no dreno. Nós descemos... eu, nas minhas melhores roupas, pois não confiaria a eles o meu anel querido! Hoje eu sei mais sobre os drenos, e sobre ratos também, mas nunca me esquecerei do horror que era aquele lugar... quase vivo de tantos olhos brilhantes, uma parede deles pouco além da luz das nossas tochas. Bem, chegamos até debaixo da minha casa. Procuramos na saída do dreno, e ali, no meio da sujeira, eu achei o meu anel e então saímos. Mas encontramos algo mais antes de voltar! Conforme nos aproximávamos da saída, um monte de ratos do esgoto, humanos, dessa vez, veio na nossa direção. Eles contaram à polícia que um deles havia entrado no dreno, mas não retornara. Ele tinha entrado pouco antes de nós, e, caso estivesse perdido, não poderia estar muito longe. Pediam que ajudassem a encontrar a pessoa, então demos meia-volta. Os policiais tentaram me impedir de ir, mas eu insisti. Era muito empolgante, e eu já não tinha recuperado meu anel? Não tínhamos ido muito longe quando encontramos algo. Havia pouca água, e o fundo do dreno estava mais alto, de tanto tijolo, lixo e coisas do gênero. Ele tentara lutar, até mesmo quando a tocha já havia apagado. Mas eram muitos para ele dar conta! E não fazia muito tempo. Os ossos ainda estavam quentes, mas totalmente limpos. Chegaram a comer até dos seus, os que tinham morrido; havia ossos de rato também, além dos do homem. Eles não ficaram nem um pouco chocados, os outros, os humanos, e tiraram sarro do amigo quando o encontraram morto, embora quisessem ajudá-lo em vida. Ah! Que diferença faz... viver ou morrer?

— E você não teve medo? — perguntei-lhe.

— Medo! — ela retrucou, rindo. — Eu, ter medo? Pergunte ao Pierre! Mas eu era mais jovem nessa época, e ao passar por aquele dreno horrendo com a parede de olhos famintos, sempre se movendo no círculo de luz das tochas, eu não estava nada tranquila. Mas me aguentei por causa dos homens! Eu tenho esse jeitinho! Nunca deixo que os homens me superem. Só preciso de uma chance e de meios! E o devoraram inteiro... comeram tudo, menos os ossos; e ninguém sabia, não ouviram barulho nenhum!

Nisso, ela desatou num acesso de riso com a alegria mais medonha que eu já presenciei na vida. Uma grande poetisa descreve assim seu canto heroico: "Ah, ver ou ouvi-la cantar! Mal posso dizer qual é mais divino". E eu posso aplicar a mesma ideia à velha, exceto pelo divino, pois eu mal podia dizer qual era mais infernal, o riso rouco, malicioso, de satisfação e crueldade, ou o sorriso zombeteiro e a terrível abertura quadrada da boca, como uma máscara de tragédia, e o matiz amarelado dos poucos dentes descoloridos nas gengivas amorfas. Com aquele riso e aquele sorriso e a risada satisfeita, eu soube tão bem quanto se me tivesse dito numa voz de trovão que meu assassinato estava confirmado, e os assassinos apenas aguardavam o momento adequado para sua execução. Eu podia ler nas entrelinhas de sua história macabra os comandos enviados aos cúmplices. "Esperem", ela parecia dizer, "esperem a sua vez. Eu darei o primeiro golpe. Tragam-me uma arma, e eu criarei a oportunidade. Ele não escapará! Mantenham-no calado, e ninguém saberá de nada. Não haverá uma reclamação sequer, e os ratos farão o trabalho deles".

Estava escurecendo cada vez mais; anoitecia. Olhei ao redor do barraco, e tudo estava igual. O cutelo sujo de sangue no canto, as pilhas de lixo, e os olhos nas pilhas de ossos e nas fendas do chão.

Pierre estivera muito quieto, preenchendo ostensivamente seu cachimbo; finalmente ele acendeu um fósforo e começou a fumar. A idosa disse:

— Minha nossa, como escureceu! Pierre, seja um bom menino e acenda a lamparina!

Pierre levantou-se e, com o fósforo aceso na mão, tocou o pavio de uma lamparina pendurada num canto da entrada do barraco, que possuía um refletor que projetava luz por todo o lugar. Sem dúvida era essa que usavam para fazer a seleção dos restos à noite.

— Não essa, seu burro! Não essa! O lampião! — ela berrou para ele.

No mesmo instante, ele a apagou, dizendo:

— Certo, mãe, vou procurar. — E foi fuçar no canto esquerdo do barraco, com a velha falando no escuro:

— O lampião! O lampião! Ah, essa é a luz que é a mais útil para nós, pobres. O lampião foi o melhor amigo da revolução! É amigo do povo simples. Ele nos ajuda quando tudo mais fracassa.

Ela mal dissera a palavra quando ouvi algo como um ranger no lugar inteiro, e algo se arrastava penosamente no telhado. Mais uma vez foi como se eu lesse nas entrelinhas do que ela dizia. Aprendi a lição do lampião. "Um de vocês suba no telhado com uma corda e o estrangule quando passar, se falharmos aqui dentro."

Quando olhei para a entrada, vi a corda com nó feito, um contorno preto contrastando com um céu sinistro. Eu estava definitivamente em apuros!

Pierre não demorou a encontrar o lampião. Eu não tirava os olhos da velha, apesar da escuridão. Pierre acendeu sua luz, e com o clarão eu vi a mulher erguer do chão, a seu lado, de onde misteriosamente aparecera, e esconder novamente nas dobras do vestido uma faca ou adaga comprida e afiada. Lembrava mais uma chaira de açougueiro afunilada na ponta.

O lampião estava aceso.

— Traga-o aqui, Pierre — disse ela. — Coloque na entrada, onde podemos ver. Olha que beleza! Não estamos mais no escuro, tudo certo!

Tudo certo para ela e seus propósitos! A luz era toda projetada no meu rosto, mantendo no escuro os rostos de Pierre e da mulher, sentados à minha frente, cada um de um lado.

Senti que a hora de agir se aproximava, mas sabia que o primeiro sinal e movimento viriam da mulher, então fiquei de olho nela.

Eu estava totalmente desarmado, mas já tinha decidido o que fazer. No primeiro movimento, tomaria o cutelo do canto direito e lutaria para escapar. Se fosse para morrer, seria em combate. Olhei ao redor para determinar a localização exata para não errar e pegá-lo logo na primeira tentativa, pois nisso o tempo e a acurácia seriam preciosos.

Santo Deus! Nem sinal dele! Todo o horror da situação me dominou, mas o mais triste de tudo isso era que, se a questão do meu terrível posicionamento me atrapalhasse, Alice sem dúvida viria a sofrer. Ou pensaria que eu não passava de um mentiroso — e qualquer pessoa que ama, ou qualquer pessoa que já amou, pode imaginar a tristeza da situação — ou continuaria a me amar mesmo eu já tendo me perdido dela e do mundo, de modo que viveria uma vida destruída e amargurada, estilhaçada por decepção e desespero. A magnitude de tal dor serviu-me de apoio e instigou-me a suportar o escrutínio macabro dos conspiradores.

Acho que não me entreguei. A velha me vigiava como o gato faz ao rato; tinha a mão direita escondida nas dobras do vestido, segurando, eu sabia, aquela adaga comprida de aspecto horrendo. Se visse um lampejo que fosse de desapontamento no meu rosto, pensava eu, ela saberia que chegara o momento, e saltaria para cima de mim feito uma tigresa, certa de pegar-me desprevenido.

Olhei lá para fora e vi nova forma de perigo. Diante e ao redor do barraco, não muito distantes, surgiram figuras escondidas pelas sombras; não se mexiam muito, mas eu sabia que estavam todos em alerta, em prontidão. Não havia muito que fazer nessa direção.

Mais uma vez, olhei ao redor. Em momentos de grande agitação e de grande perigo, que gera agitação, a mente trabalha muito rápido, e a perspicácia das faculdades que dependem da mente aumenta em proporção. Eu podia sentir isso agora. Num segundo, avaliei toda a situação. Eu vi que o cutelo fora extraído por um buraquinho feito numa das placas apodrecidas. Deviam estar bastante podres para permitir que fizessem algo assim sem gerar uma partícula que fosse de ruído.

O barraco era uma verdadeira arapuca, e vigiada por todos os lados. Um carrasco esperava no telhado, pronto para me estrangular com a corda caso eu escapasse da adaga da velha. Adiante, a entrada era protegida por uma infinidade de vigias. E aos fundos havia um conjunto de homens desesperados — eu vira os olhos deles pelas rachaduras das placas do chão, quando olhei —, deitados, esperando o sinal para se levantar. Se eu tinha de fazer algo, chegara o momento!

O mais indiferente que pude, virei um pouco no banco para posicionar a perna direita debaixo do corpo. Então, com um salto repentino, virei o rosto, protegi-o com as mãos e, com o instinto guerreiro dos cavaleiros de antigamente, sussurrei o nome de minha amada e me joguei contra a parede dos fundos do barraco.

Ainda que me vigiassem, a rapidez do meu movimento tomou Pierre e a velha de surpresa. Quando atravessei as placas podres, vi a idosa saltar feito um tigre e ouvi sua exclamação embasbacada de raiva. Meu pé pisoteou algo que se mexeu, e quando saltei dali soube que tinha pisado nas costas de um dos muitos homens deitados de bruços fora do barraco. Fui rasgado por pregos e farpas, mas fora isso estava ileso. Quase sem fôlego, subi correndo o monte à minha frente, ouvindo o baque surdo com que o barraco desabou numa pilha de escombros.

A subida foi um pesadelo. O morro, embora baixo, era terrivelmente íngreme, e a cada passo eu removia uma camada de terra e cinzas, que cediam sob meus pés. A poeira se erguia, sufocando-me, nojenta, fétida, horrível, porém eu sabia que a escalada era questão de vida ou morte, então não desisti. Segundos se passaram como horas, mas os poucos momentos que ganhara na iniciativa, combinados com minha juventude e força, deram-me grande vantagem, e, embora diversas figuras avançassem atrás de mim num silêncio mortal, que era mais amedrontador que qualquer som, alcancei facilmente o topo. Desde então, escalei o cone do Vesúvio, e, ao enfrentar aquela encosta impiedosa em meio à fumaça de enxofre, a lembrança dessa noite horrorosa em Montrouge voltou-me tão vívida que quase perdi as forças.

O morro era o mais alto naquele vale do pó, e ao escalar até o topo, ofegante e com o coração batendo mais que martelo, vi à minha esquerda o brilho fraco e avermelhado do céu, e ainda mais perto o cintilar de luzes. Graças a Deus! Eu soube então onde estava e onde ficava a estrada para Paris!

Pois dois ou três segundos, parei e olhei para trás. Meus perseguidores continuavam bem distantes de mim, mas avançavam, resolutos, e num silêncio mortal. Atrás deles, o barraco não passava de destroços — uma mistura de madeira e vultos ondulantes. Dava para ver bem, pois as chamas já se espalhavam; os farrapos e a palha haviam, evidentemente, pegado fogo por causa do lampião. Reinava o silêncio! Nem um som! Aqueles velhos malditos não desistiam de modo algum.

Não tive tempo para mais do que um olhar de relance, pois, ao olhar ao redor do morro, preparando minha descida, vi diversos vultos posicionando-se em cada canto para me pegar quando passasse. Hora de correr pela vida. Estavam tentando bloquear meu caminho para Paris; com o instinto do momento, corri para a direita. Foi bem a tempo, pois, embora eu descesse, ao que me pareceu, em poucos passos, os velhos que me vigiavam deram meia-volta, e um deles, quando passei correndo pela abertura entre dois montes à frente, quase me acertou com aquele cutelo terrível. Não tinha como haver duas armas dessas por ali!

Começou, então, uma perseguição pavorosa. Facilmente me distanciei dos homens mais velhos, e mesmo quando uns mais jovens e algumas mulheres uniram-se à caçada, não foi difícil, para mim, abrir distância. Mas eu não sabia o caminho, e não podia nem me guiar pela luminosidade do céu, pois estava fugindo dele. Eu tinha ouvido que, a não ser propositalmente, homens caçados tendem a sempre pegar a esquerda, e acabei por confirmá-lo; e suponho que meus perseguidores também o sabiam, pois que estavam mais para animais que para homens, e por astúcia ou instinto descobriram tais segredos por conta própria: eis que, ao final de uma disparada rápida, após a qual eu pretendia tirar um momento para recuperar o fôlego, de repente vi à minha frente dois ou três vultos passando ligeiros por trás de um morro à direita.

Eu estava, de fato, preso na teia da aranha! Mas com a constatação desse novo perigo veio a resolução de quem é caçado, e então disparei pela primeira trilha à direita. Continuei nessa direção por uns cem metros, e então, ao pegar mais uma vez a esquerda, tive certeza de que pelo menos evitara o perigo de acabar cercado.

Mas não o da perseguição, pois lá vinha a ralé atrás de mim, firme, obstinada, incansável, e ainda num silêncio mortal.

A escuridão era tanta que os montes pareciam um pouco menores do que antes, embora — pois a noite se instalava — parecessem maiores em proporção. Eu estava agora bem à frente de meus perseguidores, então disparei a escalar o monte à minha frente.

Ah, mas que alegria! Eu estava perto da periferia desse inferno de pilhas de sucata. Bem atrás de mim brilhavam no céu as luzes avermelhadas de Paris, e além destas erguiam-se imperiosas as altitudes de Montmartre — uma luminosidade fraca, com pontos brilhantes, aqui e ali, como estrelas.

Restaurado meu vigor num momento, escalei os poucos montes remanescentes, cada vez menores, e encontrei-me no terreno nivelado adiante. Mesmo então, contudo, o panorama não era dos mais convidativos. Tudo à minha frente era escuridão e desolação; eu tinha evidentemente alcançado um daqueles terrenos úmidos e ermos que se encontram aqui e ali nos bairros das grandes cidades. Locais abandonados, desolados, onde o espaço é requisitado para a aglomeração de tudo que é repugnante, e o solo é tão pobre que não dá vontade de ocupar nem ao retirante mais desesperado. Com o olhar já acostumado à escuridão do anoitecer, e longe que estava das sombras daquelas pilhas de lixo medonhas, eu podia ver com muito mais facilidade do que pouco antes. Podia ser, também, que o brilhar no céu das luzes de Paris, embora a cidade estivesse distante alguns quilômetros, se refletisse ali. Independente disso, pude enxergar o bastante para localizar-me em relação a uma boa distância ao meu redor.

Adiante se estendia um terreno ermo e sombrio que parecia quase totalmente plano, com o ocasional brilho fraco de poças de água parada. Aparentemente, bem ao longe, à direita, em meio a um pequeno conjunto de luzes esparsas, erguia-se uma massa que devia ser o Forte de Montrouge, e mais longe ainda, à esquerda, imersa em sombras, pontilhada pelo cintilar aleatório das janelas dos chalés, as luzes no céu indicavam a região de Bicêtre. A reflexão de um segundo me fez decidir seguir à direita e tentar alcançar Montrouge. Ali, pelo menos, eu conseguiria um pouco de segurança, e poderia alcançar em menos tempo as ruas que conhecia. Em algum ponto, não muito distante, devia encontrar-se a via estratégica que conectava a cadeia exterior de fortes que circundavam a cidade.

Então olhei para trás. Vindo por sobre os montes, como contornos destacados no panorama das luzes do horizonte parisiense, vi diversos vultos em movimento, e à direita muitos outros avançando entre mim e meu destino. Ficou claro que pretendiam agarrar-me nesse trajeto, limitando minhas opções: estas consistiam agora em seguir adiante ou virar à esquerda. Curvado para o chão buscando tirar vantagem do horizonte como linha de visualização, avaliei bem essa direção, mas não detectei sinal algum de meus inimigos. Considerei que, como não tinham assegurado esse ponto nem tentavam alcançá-lo para nele montar guarda, era certo que já havia perigo me aguardando ali. Resolvi, portanto, seguir adiante em linha reta.

O prospecto não era lá muito convidativo, e conforme eu prosseguia, a realidade foi piorando. O solo tornou-se macio e lamacento, e vez por outra cedia debaixo dos meus pés, gerando uma sensação repugnante. Eu parecia estar descendo, pois via ao meu redor pontos que pareciam mais elevados do que por onde eu passava, e isso num terreno que logo antes me parecera plano. Olhei ao redor, mas não vi nenhum dos meus perseguidores. Achei esquisito, pois o tempo todo aquelas aves da noite me seguiram na escuridão com tanta facilidade que era como se ainda fosse dia. Como me amaldiçoei por ter saído usando minhas roupas de turista, um terno claro de tweed. O silêncio e o fato de não enxergar meus inimigos, mesmo que sentisse que estavam todos de olho em mim, começavam a me apavorar e, torcendo para que nenhum membro dessa trupe medonha me ouvisse, ergui a voz e gritei várias vezes. Não veio resposta alguma, nem mesmo um eco para recompensar meus esforços. Parei um pouco, fiquei imóvel e foquei uma direção. Num dos pontos mais elevados ao meu redor, vi um vulto aproximar-se, depois outro, e mais outro. Isso ocorria à minha esquerda; pareciam avançar para me cercar.

Julguei, mais uma vez, que poderia iludir meus inimigos nesse embate com minha habilidade na corrida; então, com toda a velocidade, disparei adiante.

Splash!

Meus pés escorregaram numa massa de sujeira lamacenta, e caí de cara numa poça fétida de água parada. A água lamacenta na qual meus braços imergiram até os cotovelos era nojenta e nauseante além do imaginável, e tão repentina foi minha queda que acabei engolindo um pouco dessa sujeira, e quase engasguei, tossindo para recuperar o ar. Nunca me esquecerei dos momentos durante os quais fiquei tentando me recuperar de quase desmaiar por causa do odor pútrido da poça asquerosa, cujo vapor esbranquiçado erguia-se feito um fantasma ao meu redor. O pior de tudo: com o desespero agudo do animal caçado quando vê o bando que o persegue se aproximar, vi diante de meus olhos, incapacitado como estava, os vultos negros de meus perseguidores avançando ligeiros para me cercar.

É curioso como nossas mentes preocupam-se com questões esquisitas quando as energias do pensamento estão concentradas em alguma necessidade terrível e urgente. Eu corria risco de vida: minha salvação dependia de minha atitude e de escolher dentre as opções que me ocorriam a cada passo que eu dava, e no entanto eu não podia deixar de pensar na estranha persistência resoluta daqueles velhos. Sua silenciosa determinação, sua persistência firme e sombria, mesmo numa situação como essa, suscitavam, além do medo, também certo respeito. Como deviam ter sido admiráveis no vigor da juventude! Dava para entender a altercação na ponte de Arcola, a exclamação de desprezo da Velha Guarda em Waterloo! O raciocínio inconsciente tem seus prazeres até mesmo em momentos como esse, porém, felizmente, ele não compete de modo algum com os pensamentos dos quais brota a ação.

Num relance compreendi que até ali eu fora derrotado em meu objetivo; que meus inimigos tinham vencido. Conseguiram cercar-me por três lados e estavam decididos a direcionar-me para a esquerda, onde já havia perigo à espreita, pois não deixaram o local desprotegido. Aceitei, então, a alternativa — era a única decisão possível. Era preciso manter-me no terreno mais baixo, pois meus perseguidores estavam na porção superior. Contudo, embora o solo macio e quebradiço me contivesse, meu vigor e treinamento tornavam-me capaz de manter o passo e, seguindo na diagonal, não somente impedi que ganhassem vantagem sobre mim como aos poucos fui me distanciando. Isso me emprestou ânimo e força renovados, e a essa altura o treino habitual começou a dar sinais, pois me veio novo fôlego. À minha frente, o terreno erguia-se um pouco. Subi correndo o aclive e deparei com uma extensão de lama aquosa, com um fosso ou aterro de aparência sinistra mais além. Julguei que, se pudesse alcançar esse fosso em segurança, eu poderia, de lá, com o solo firme sob os pés e algum tipo de trilha para me guiar, obter com relativa facilidade uma solução para os meus problemas. Após olhar de relance para a direita e para a esquerda, não tendo visto ninguém, mantive os olhos concentrados por alguns minutos na função principal de ajudar meus pés a cruzar o pântano. O processo foi longo e penoso, mas muito pouco perigoso, apenas exaustivo; em pouco tempo eu já estava no fosso. Subi o morro exultante, mas ali deparei com novo choque. De cada lado surgiram diversos vultos encurvados. Da esquerda e da direita, avançavam para mim. Cada um trazia uma corda.

O cordão estava quase fechado. Não dava para passar por lado nenhum e meu fim se aproximava.

Havia apenas uma opção, e arrisquei. Saí correndo pelo fosso, escapei das garras de meus inimigos e me lancei na água.

Em qualquer outra ocasião eu teria considerado fétido e nojento aquele poço, mas agora era tão bem-vindo quanto o mais cristalino curso de água para o viajante sedento. Uma verdadeira estrada para a salvação!

Meus perseguidores vieram correndo logo atrás. Se fosse apenas um deles a segurar a corda, teria dado um jeito em mim, pois poderia ter me enlaçado antes que eu tivesse tempo de dar a primeira braçada; porém as muitas mãos que a traziam se embaralharam, atrasando-os, e quando a corda atingiu a água eu ouvi o respingo bem longe de mim. Alguns minutos de intenso nadar me levaram à outra margem. Refrescado pela imersão e encorajado pela fuga, escalei o fosso com ânimo igualmente vivaz.

Do alto, olhei para trás. Em meio à escuridão, vi meus atacantes espalhando-se por todos os lados do fosso. Obviamente, a perseguição não terminara, e mais uma vez tive que definir meu curso. Além do fosso onde eu me encontrava havia um terreno lodoso muito similar ao que eu acabara de cruzar. Determinado a evitar o local, pensei por um instante se subia ou descia o fosso. Tendo a impressão de ouvir um barulho — o som abafado de remos —, parei para escutar e então gritei.

Ninguém respondeu; mas o som cessara. Meus inimigos tinham evidentemente arranjado um bote. Como estavam acima de mim, peguei o caminho que descia e comecei a correr. Ao passar mais para a esquerda do ponto em que entrei na água, ouvi diversos ruídos, suaves, quase furtivos, como o que os ratos fazem quando mergulham num riacho, mas muito mais altos; quando olhei, vi o brilho escuro das águas entrecortado pelas ondas geradas por várias cabeças que avançavam para mim. Alguns dos meus inimigos também nadavam ali.

Para piorar, atrás de mim, no curso de água, o silêncio foi rompido pela agitação dos remos; meus inimigos perseguiam-me a toda a velocidade. Juntei o máximo de forças e saí correndo. Após alguns minutos, olhei para trás, e com a pouca luz que atravessava nuvens esparsas no céu, vi diversos vultos escalando o aclive junto de mim. O vento começava a apertar, e a água ao meu lado, agitada, começava a abrir-se em pequenas ondas na margem. Era preciso manter os olhos colados no chão à minha frente para não tropeçar, pois eu sabia que um tropeço seria morte certa. Passados mais alguns minutos, olhei para trás. No alto do fosso vi poucos vultos, mas cruzando o pântano havia muitos mais. Qual novo perigo isso predizia, eu não sabia — só podia imaginar. Conforme corria, reparei que a trilha parecia inclinar-se cada vez mais para a direita. Olhando adiante, vi que o rio estava muito mais largo que antes, e que o fosso no qual eu me encontrava desenrolava-se em outro curso de água, em cujas margens, não muito ao longe, vi alguns dos vultos do outro lado do charco. Eu estava numa espécie de ilha.

Minha situação tornara-se de fato terrível, pois meus inimigos haviam me cercado completamente. Atrás de mim, o remar parecia cada vez mais acelerado, como se meus perseguidores soubessem que o fim se aproximava. A meu redor, em todos os lados, era tudo desolação; não havia um telhado ou foco de luz sequer, até onde meus olhos alcançavam. Muito ao longe, à direita, erguia-se uma massa obscura, mas eu não sabia o que era. Por um momento, parei para pensar no que devia fazer, mas apenas por um momento, pois meus perseguidores chegavam cada vez mais perto. Foi então que resolvi. Escorreguei encosta abaixo e entrei na água. Nadei em linha reta para ganhar a corrente, deixando para trás a água represada da ilha, pois presumi tratar-se disso quando alcancei o rio. Esperei até que uma nuvem passasse encobrindo a lua, imergindo tudo em escuridão. Então tirei meu chapéu e pousei-o devagar na água, para que flutuasse com a corrente, e no instante seguinte mergulhei para a direita e saí nadando debaixo da água com todas as minhas forças. Fiquei, suponho, meio minuto submerso quando emergi, e o fiz o mais suavemente que pude, então olhei para trás. Lá estava meu chapéu marrom-claro flutuando contente. Logo atrás dele vinha um bote velho e surrado, propelido furiosamente por um par de remos. A lua ainda estava em parte bloqueada pelas nuvens passantes, mas sob essa luz parcial pude ver um homem na proa se erguendo, pronto para golpear com o que me pareceu ser aquele mesmo cutelo medonho do qual eu escapara pouco antes. O bote foi chegando mais perto, mais perto, e o homem atacou ferozmente. O chapéu desapareceu. O homem cambaleou para a frente, quase caiu do bote. Seus comparsas o puxaram para dentro, mas sem o cutelo, e quando me virei com todas as energias concentradas em alcançar a outra margem, ouvi o zumbido cruel do grito abafado que marcou a raiva de meus perseguidores iludidos.

Esse foi o primeiro ruído que ouvi produzido por lábios humanos durante toda essa terrível caçada, e por mais embebido em ameaça e perigo, para mim foi muito bem-vindo, pois quebrava aquele silêncio detestável que me envolvia e intimidava. Era como o indicativo de que meus oponentes eram homens, e não fantasmas, e que contra eles eu tinha, pelo menos, as chances que teria um homem, embora um contra muitos.

Contudo, agora que fora quebrado o feitiço do silêncio, o barulho vinha espesso e veloz. Do barco à margem e da margem de volta ao barco vieram pergunta e resposta rápidas, tudo num intenso sussurrar. Olhei para trás — coisa terrível de se fazer, pois no mesmo instante alguém avistou meu rosto, um ponto branco na água escura, e gritou. Mãos apontaram para mim, e num ou dois segundos o bote fora redirecionado e me seguia veloz. Para mim, faltava muito pouco, mas o bote acelerava cada vez mais. Mais algumas braçadas e eu estaria na margem, mas podia sentir que o bote se aproximava, e a cada segundo eu contava com a sensação de levar um remo ou outra arma na cabeça. Se não tivesse visto aquele cutelo medonho desaparecer nas águas, creio que não teria ganhado a margem. Ouvi os palavrões abafados daqueles que não remavam e o respirar dificultoso dos remadores. Com um esforço supremo pela vida e a liberdade, toquei a margem e me levantei. Não havia um segundo para descansar, pois logo atrás de mim o bote atracou e diversos vultos saltaram em minha direção. Alcancei o topo do fosso e saí correndo para a esquerda. O bote partiu e seguiu rio abaixo. Vendo isso, receei que houvesse perigo nessa direção, então virei e desci o fosso pelo outro lado; após cruzar um trecho curto de terreno lamacento, deparei com um campo aberto e ermo e prossegui.

Meus perseguidores incansáveis continuavam no meu encalço. Muito ao longe, adiante, vi a mesma massa escura de antes, mas agora mais próxima e maior. Senti no peito um assomo de alegria, pois aquele só podia ser o forte de Bicêtre, e com coragem renovada continuei a fugir. Eu ouvira dizer que entre cada um dos fortes de defesa de Paris havia trilhas estratégicas, passagens cavadas bem a fundo nas quais os soldados podiam abrigar-se do inimigo. Eu sabia que se conseguisse alcançar essa trilha estaria a salvo, mas, como estava escuro, não tinha sinal algum dela, por isso, na esperança cega de deparar com ela, prossegui.

Fui parar na beirada de um morro, e lá em baixo avistei uma via ladeada nos dois lados por trincheiras de água protegidas por um muro alto e ereto.

Sentindo-me zonzo e fraco, continuei a correria; o solo ficou mais quebradiço — cada vez mais, até que tropecei e caí, tornei a me levantar e retomei a corrida com a angústia cega de um homem caçado. Mais uma vez fui assaltado pela lembrança de Alice. Não podia desistir e arruinar a vida dela: tinha de lutar e batalhar pela vida até o final. Com grande esforço alcancei o topo do muro. Enquanto me esforçava para subir como um gato, cheguei a sentir que me tocavam a sola do pé. Encontrei-me numa espécie de passeio, e adiante vi um foco de luz fraca. Cego e tonto, pus-me a correr, cambaleando, até cair, para levantar-me coberto de terra e sangue.

— Halt la!

As palavras soaram para mim como numa voz do paraíso. Fui envolvido por um cobertor de luz e gritei de alegria.

— Qui va la?

O alarido dos mosquetes, o brilho do aço diante de meus olhos. Por instinto, parei, embora logo atrás viesse todo um bando dos meus caçadores.

Uma ou duas palavras proferidas, e de um portão desatou, como me pareceu, uma maré de vermelho e azul quando a guarda apareceu. Tudo ao redor parecia imerso em luz, o brilho do aço, o tilintar das armas, as ordens firmes e vigorosas de comando. Totalmente exaurido como estava, caí para a frente e fui amparado por um soldado. Olhei para trás, em horrenda expectativa, e vi a massa de vultos desaparecer noite adentro. Devo ter desmaiado logo em seguida. Quando recobrei os sentidos, estava na sala de guarda. Serviram-me xerez, e após pouco tempo consegui contar-lhes um pouco do que se passara. Foi quando apareceu um comissário da polícia, quase como se surgido do nada, como costuma fazer o típico policial parisiense. Ele escutou tudo com atenção, depois tomou um instante para consultar o policial no comando. Pelo visto, estavam de acordo, pois me perguntaram se eu estava pronto para acompanhá-los.

— Aonde? — perguntei, levantando-me para ir.

— De volta às pilhas de lixo. Talvez possamos capturá-los!

— Posso tentar! — respondi.

Ele me fitou intensamente por um momento, e disse, de repente:

— Não quer esperar um pouco, ou até amanhã, meu jovem inglês?

A pergunta acertou o alvo em cheio, como talvez fosse sua intenção, e fiquei de pé num pulo.

— Ora, ora — disse eu. — Veja bem, um inglês está sempre pronto para o serviço!

O comissário era boa gente, tanto quanto era perspicaz, e me deu um tapinha carinhoso no ombro.

— Brave garçon! — disse. — Perdoe-me, mas eu sabia o que lhe faria bem. A guarda está pronta. Vamos!

Deixamos a sala da guarda, pegamos um longo corredor arqueado e saímos para a rua. Alguns dos homens na entrada portavam poderosos lampiões. Cruzamos pátios numa trilha descendente até que, depois de um arco baixo, demos com uma estrada inferior, a mesma que eu vira durante a fuga. Foi dada a ordem para acelerar e, num trote ligeiro, entre a corrida e o caminhar, os soldados seguiram pela via. Senti minhas forças renovadas — tamanha era a diferença entre ser o caçador e a caça. Poucos metros adiante, encontramos uma ponte baixa que cruzava o riacho, e claro que muito mais gasta do que quando a vi. Sem dúvida que se esforçaram para danificá-la, pois cortaram todas as cordas e uma das correntes fora partida. Ouvi um dos policiais dizer ao comissário:

— Chegamos bem a tempo! Mais alguns minutos e teriam destruído a ponte. Avante, mais rápido!

E prosseguimos. Alcançamos outra ponte no riacho serpeante; conforme chegávamos mais perto, ouvimos o baque surdo do metal, pois as tentativas de destruir a ponte foram retomadas. Deram uma ordem, e diversos homens ergueram seus rifles.

— Fogo!

Dispararam um voleio. Ouviu-se um grito distante, e os vultos se dispersaram. Mas o mal já estava feito, e vimos a outra ponta da ponte balançar no riacho. O atraso nos custou muito caro; levamos quase uma hora para reajustar as cordas e restaurar a ponte o suficiente para podermos passar.

Retomamos a caçada. Correndo ainda mais rápido, fomos em direção às pilhas de lixo.

Após certo tempo, chegamos a um local que eu reconheci. Havia o que restava de um incêndio — um pouco de cinza quase seca ainda emitia um brilho vermelho, mas boa parte da brasa estava apagada. Eu conhecia muito bem o local, a barraca e o morro pelo qual subi, e sob a luminosidade bruxuleante os olhos dos ratos ainda reluziam com uma espécie de fosforescência. O comissário disse algo ao policial, que exclamou:

— Alto!

Os soldados receberam ordens para se espalhar e ficar de vigia, enquanto nós começamos a examinar as ruínas. O comissário foi erguendo tábuas chamuscadas e demais detritos. Aquelas, os soldados pegaram e empilharam. De repente o homem pareceu levar um susto, então se curvou e, quando voltou, chamou meu nome.

— Olhe! — disse ele.

A visão foi a mais horrenda. Jazia ali um esqueleto de bruços; uma mulher, a julgar pela silhueta — uma idosa, considerando quão fibrosos eram os ossos. Dentre as costelas erguia-se uma longa adaga feita a partir de uma chaira de açougueiro, a ponta afiada fincada na coluna.

— Como podem ver — disse o comissário ao policial e a mim, tirando do bolso um caderninho —, a mulher deve ter caído em cima da adaga. Os ratos, por aqui, eram muitos... dá para ver seus olhos brilhando naquela pilha de ossos... e podem notar também — cheguei a sentir um arrepio quando ele pôs a mão no esqueleto — que eles não perderam tempo, pois os ossos ainda nem esfriaram!

Não havia sinal de mais ninguém ali perto, vivo ou morto; então, formando uma fila, os soldados partiram. Pouco depois alcançamos a casinha improvisada no velho armário. Aproximamo-nos. Em cinco dos seis compartimentos havia um velho dormindo — dormiam tão profundamente que nem mesmo a luz dos lampiões os acordou.

Eram homens velhos, amargurados, de cabelos grisalhos, com seus rostos magricelas, enrugados e bronzeados, e os bigodes brancos.

O policial emitiu uma ordem de comando num tom de voz firme e alto, e num instante todos eles estavam de pé à nossa frente em posição de alerta.

— Que fazem aqui?

— Estamos dormindo — foi a resposta.

— Onde estão os outros *chiffoniers*? — perguntou o comissário.

— Foram trabalhar.

— E vocês?

— Ficamos de guarda!

— Peste! — riu-se o policial, sarcástico, encarando os homens, um após o outro, bem no rosto, para então acrescentar com deliberada crueldade: — Dormindo em serviço! É assim que se comportam os soldados de Napoleão? Não me admira Waterloo!

Sob o foco do lampião, vi aqueles rostos amargurados ficando pálidos feito cal, e quase arrepiei com seus olhares quando o riso dos soldados ecoou a zombaria nefasta do policial.

Senti, nesse momento, que tinha me vingado, de certa forma.

Por um instante tive a impressão de que os homens acabariam cedendo à provocação, mas anos de experiência os ensinaram, e ficaram em silêncio.

— Vocês são apenas cinco — disse o comissário. — Onde está o sexto?

A resposta veio junto de um risinho insolente.

— Ele está ali! — E o homem apontou para debaixo do armário. — Morreu ontem à noite. Não vai encontrar muita coisa. O enterro dos ratos é rápido!

O comissário inclinou-se para ver. Depois se voltou para o policial e disse:

— Podemos ir embora. Não há rastros por aqui; nada para provar que esse homem é o que foi ferido pelos disparos dos seus soldados. Provavelmente mataram-no para encobrir o rastro. Veja! — Mais uma vez ele se curvou e pôs as mãos no esqueleto. — Os ratos agem rápido, e eram muitos. Os ossos ainda estão quentes!

Senti um arrepio, assim como muitos dos que me rodeavam.

— Formação! — disse o policial, e, marchando em fileira, com os lampiões balançando à frente e os veteranos acorrentados no meio, com passadas firmes retiramo-nos do vale dos montes de lixo e retornamos ao forte de Bicêtre.

Meu ano de provação terminou faz muito tempo, e Alice agora é minha esposa. Porém, quando me recordo desse período de doze meses, um dos mais vívidos incidentes em minha memória é esse que ocorreu durante a minha visita à Cidade do Pó.

O SONHO DAS MÃOS VERMELHAS

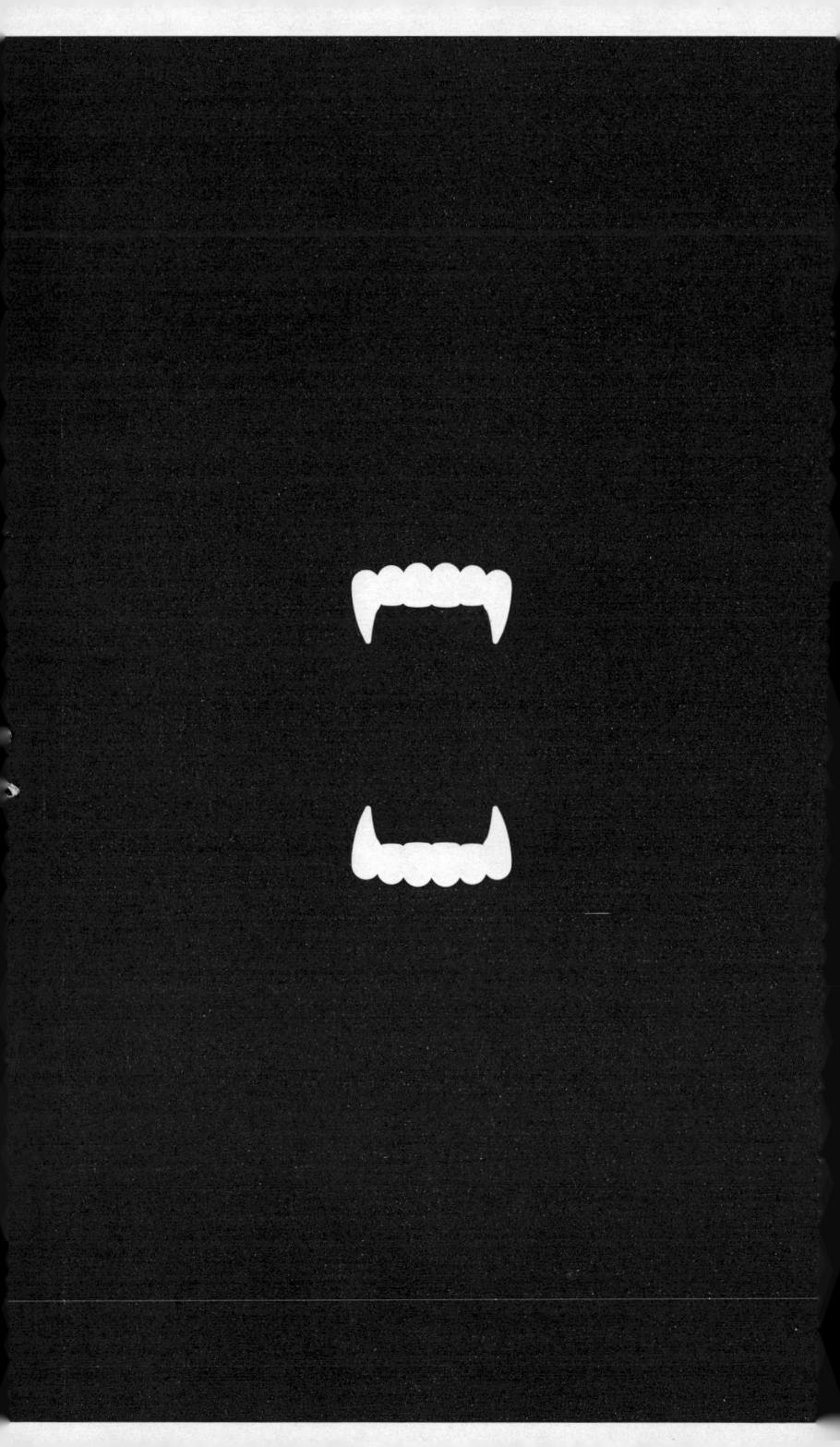

A PRIMEIRA OPINIÃO QUE OUVI

acerca de Jacob Settle foi uma simples frase que assim o descrevia: "É um rapaz tristonho", mas constatei que ela incorporava os pensamentos e ideias de todos os seus colegas de trabalho. Havia na frase certa tolerância, uma ausência de sentimento positivo de qualquer tipo, em vez de uma opinião completa, que marcava com bastante precisão o posto ocupado pelo homem na estima pública. Entretanto, havia certa dissimilaridade entre essa opinião e a aparência dele que me deixou apreensivo, e aos poucos, quanto mais eu via do local e dos colegas, acabei por ter interesse especial sobre ele. Ele vivia, eu o soube, fazendo bondades; nada que envolvesse despesas acima de suas humildes posses, mas nas múltiplas formas de preocupação, continência e autorrepressão que são as mais verdadeiras caridades da vida. Mulheres e crianças confiavam nele tacitamente, embora, por mais estranho que fosse, ele preferisse evitá-las, a não ser quando havia alguém doente, e então ele aparecia para ajudar se podia, tímido e constrangido. Levava vida muito solitária; morava num pequeno chalé, ou mais uma choupana, de um quarto, na periferia do charco. Sua existência parecia tão triste e solitária que eu quis animá-lo, e para tal propósito aproveitei a ocasião em que passamos certo tempo junto de uma criança que acabei machucando por acidente, e ofereci-me para emprestar-lhe uns livros. Ele aceitou de bom grado, e, ao nos despedirmos numa manhã nublada, senti que certa confiança mútua fora estabelecida entre nós.

Os livros eram sempre devolvidos com o maior cuidado e pontualidade, e com o tempo Jacob Settle e eu viramos bons amigos. Volta e meia, ao cruzar o charco aos domingos, eu passava para vê-lo mas nessas ocasiões ele se mostrava tímido e desconfortável, então eu hesitava em procurá-lo. E nunca, sob circunstância nenhuma, ele vinha à minha residência.

Numa tarde de domingo, eu retornava de uma longa caminhada para além do charco e, ao passar pelo chalé de Settle, parei à sua porta para dar um "oi". Estando a porta fechada, pensei que ele tivesse saído, e bati apenas por já estar ali, como que por hábito, não esperando obter resposta. Para a minha surpresa, ouvi uma vozinha fraca vindo lá de dentro, embora não entendesse o que dizia. Entrei assim mesmo, e encontrei Jacob deitado, sem camisa, na cama. Estava pálido feito defunto e o suor lhe escorria pelo rosto. Suas mãos agarravam-se inconscientemente à roupa de cama como um homem que se afoga agarra-se a qualquer coisa que alcance. Quando entrei, ele se ergueu de leve, com expressão feroz e assombrada nos olhos escancarados e fixos, como se uma visão horrenda aparecesse à sua frente; porém, quando me reconheceu, o rapaz largou-se na cama, soltando uma exclamação abafada de alívio e fechando os olhos. Fiquei ao lado dele por um tempo, um ou dois minutos, enquanto ele resfolegava. Então ele abriu os olhos e olhou para mim, mas com uma expressão tão desesperada de lamentação que eu, enquanto pessoa muito viva, preferia ver a outra, a cara de medo. Sentei-me junto dele e perguntei se estava bem. Por um tempo, ele não disse nada além de que não estava doente; logo, após me avaliar com minúcia, apoiou-se no cotovelo e disse:

— Eu agradeço de coração, senhor, mas estou falando a verdade. Não estou doente, segundo a definição dos homens, embora só Deus sabe se não há doenças piores do que as que os médicos conhecem. Eu lhe contarei, por você ser tão bondoso, mas confio que jamais vai sequer mencioná-lo a uma viva alma, pois poderá me fazer sofrer ainda mais. Eu sofro por causa de um pesadelo.

— Um pesadelo! — disse eu, na esperança de animá-lo. — Mas os sonhos vão-se quando amanhece... até mesmo quando se acorda.

Nisso, parei, pois antes mesmo de ele falar, vi a resposta estampada no olhar desolado que lançou por todo o lugar.

— Não, não... isso não é problema para quem vive no conforto e junto daqueles que ama. É mil vezes pior para quem vive sozinho e tem que viver assim. Que alegria haveria para mim se acordo aqui, na calada da noite, com o charco imenso ao meu redor, cheio de vozes e de rostos que fazem do acordar um sonho pior do que o sono? Ah, meu rapaz, você não tem um passado que manda, aos montes, às pessoas a escuridão e o vazio, e rezo ao bom Deus que nunca venha a ter!

Enquanto ele falava, havia uma gravidade quase irresistível de convicção em sua atitude que me fez abandonar a reprovação que sentia com relação a seu viver solitário. Tive a sensação de estar diante de alguma influência secreta da qual não fazia ideia. Para o meu alívio, pois não sabia o que dizer, ele prosseguiu:

— Tive o sonho duas noites. Foi bem difícil na primeira, mas sobrevivi. Ontem, a expectativa foi quase pior do que o sonho em si... até que o sonho veio, e levou embora qualquer traço de sofrimento menor. Fiquei acordado até quase amanhecer, e então ele veio de novo, e desde então estou numa agonia que tenho certeza de ser como a dos moribundos, sem contar o receio pela noite de hoje.

Antes que ele terminasse a frase, eu já estava decidido, sentindo que podia falar-lhe com mais ânimo.

— Tente dormir cedo hoje... aliás, nem espere anoitecer de fato. O sono vai restaurá-lo, e prometo que não haverá mais sonhos depois de hoje.

Ele sacudiu a cabeça, desesperançado. Fiquei ali sentado mais um pouco, mas logo fui embora.

Quando cheguei em casa, fiz todos os preparativos para a noite, pois estava resolvido a partilhar da solitária vigília de Jacob Settle em seu chalé no charco. Imaginei que, se ele conseguisse dormir antes do pôr do sol, estaria acordado bem antes da meia-noite; portanto, assim que os sinos da cidade deram as onze, lá estava eu diante da porta dele, armado de uma bolsa na qual trazia minha ceia, um frasco dos grandes, umas duas velas e um livro. O luar brilhava forte, encobrindo todo o charco, tanto que estava claro como o dia; porém, vez por outra, nuvens sombrias percorriam o céu, criando uma escuridão que, em comparação, parecia quase tangível. Abri a porta devagarinho e entrei sem acordar Jacob, que dormia de costas, com o rosto pálido para cima. O rapaz estava imóvel e, mais uma vez, banhado de suor. Tentei imaginar que visões passavam diante daqueles olhos fechados que pudessem trazer consigo o tormento e a aflição estampados no rosto dele, mas não consegui, e fiquei esperando que acordasse. Ele acordou de súbito e de um modo que me comoveu, pois o gemido oco que se desprendeu de seus lábios pálidos quando ele se ergueu um pouco e se largou de volta era, sem dúvida, o culminar ou a conclusão de uma corrente de pensamentos que vinha se formando.

— Se for mesmo um sonho — disse eu comigo mesmo —, então deve basear-se numa realidade terrível. Que pode ter sido esse fato infeliz do qual ele falara?

Enquanto eu dizia isso, ele percebeu que eu estava ali. Achei esquisito ele não passar por aquele período de confusão, se estamos sonhando ou acordados, que costuma ocorrer quando uma pessoa acorda. Com uma exclamação animada de alegria, ele tomou a minha mão e ficou segurando entre as dele, suadas e trêmulas, como uma criança amedrontada agarra-se a alguém que ama. Tentei acalmá-lo:

— Pronto, pronto... está tudo bem. Vim ficar com você essa noite, e juntos vamos tentar enfrentar esse pesadelo.

Ele me soltou subitamente, afundou-se na cama e cobriu os olhos com as mãos.

— Enfrentar... o pesadelo? Ah, não, senhor, não! Nenhum poder mortal pode enfrentar aquele sonho, pois ele vem de Deus... e está gravado aqui. — Ele bateu na testa, depois prosseguiu: — É o mesmo sonho sempre e, no entanto, tem mais poder de me torturar a cada vez que vem.

— Como é o sonho? — perguntei, pensando que falar sobre o assunto poderia aliviá-lo um pouco, mas ele se afastou de mim e, após uma longa pausa, disse:

— Não, melhor eu não contar. Ele pode não voltar.

Havia obviamente algo que ele queria esconder — algo que existia por trás do sonho, então retruquei:

— Tudo bem. Espero que não tenha mais o sonho. Mas, se ele voltar, você vai me contar, certo? Não pergunto por curiosidade, mas porque acho que falar sobre o sonho pode trazer alívio.

Ele respondeu com tamanha solenidade que achei quase desmedida:

— Se ele voltar, eu lhe contarei tudo.

Na tentativa de fazê-lo parar de pensar no assunto e guiá-lo para coisas mais mundanas, tirei minha ceia da bolsa e pedi que a partilhasse comigo, inclusive o conteúdo do frasco. Após certo tempo, ele pareceu mais animado e quando acendi meu charuto, tendo passado um para ele, fumamos por uma hora inteira e conversamos sobre diversas coisas. Aos poucos, o conforto de seu corpo foi vencendo sua mente, e pude ver o sono deitando suas mãos gentis nas pálpebras do rapaz. Ele também o notou e disse-me que estava se sentindo melhor, que eu poderia deixá-lo; entretanto, eu lhe disse que, certo ou errado, eu ficaria por ali até o amanhecer. Então acendi minha outra vela e comecei a ler, enquanto ele adormecia.

Fui ficando cada vez mais interessado na leitura, tão interessado que levei um susto quando o livro escorregou das minhas mãos. Ergui o rosto e vi que Jacob continuava a dormir, e fiquei contente ao ver no rosto dele somente uma expressão de alegria e tranquilidade, enquanto os lábios pareciam mover-se produzindo palavras sem som. Retomei a leitura, e mais uma vez acordei, mas dessa vez com um arrepio que me percorreu a coluna, ouvindo a voz que vinha da cama ao meu lado:

— Com essas mãos vermelhas, não! Nunca! Nunca!

Olhei para Jacob e vi que ainda dormia. Ele acordou, contudo, num instante, e não pareceu surpreso em ver-me; demonstrou novamente aquela apatia estranha para com os arredores. Então eu disse:

— Settle, conte-me o sonho. Pode falar abertamente; não contarei nada a ninguém. Enquanto eu viver, jamais mencionarei a ninguém qualquer coisa que quiser me contar.

Ele respondeu:

— Eu disse que contaria, mas acho melhor contar-lhe primeiro o que vem antes do sonho, para que compreenda. Fui professor de escola quando era bem jovem; era somente uma escola de paróquia num pequeno vilarejo no oeste. Não há por que mencionar nomes. Melhor não. Estava noivo, prestes a me casar com uma moça que eu amava, quase idolatrava. Foi a mesma história de sempre. Enquanto juntávamos dinheiro para poder nos casar, apareceu outro rapaz. Era quase tão jovem quanto eu, e bonito, um cavalheiro, com todo aquele jeito que atrai as moças da nossa estirpe. Ele saía para pescar, e ela o encontrava enquanto eu trabalhava na escola. Briguei com ela, implorei que o esquecesse. Sugeri casar sem mais demora, e fugir e começar a vida em outro país, mas ela não ouvia nada do que eu dizia, e vi que estava apaixonada por ele. Resolvi encontrar o rapaz e pedir-lhe que a tratasse bem, pois achei que tinha intenções honestas com ela, para que não houvesse falação da parte dos outros. Fui aonde pensei que poderíamos conversar a sós, e lá o encontrei!

Nesse ponto, Jacob Settle teve que parar, pois algo pareceu subir-lhe pela garganta e ele quase engasgou. Depois prosseguiu:

— Senhor, só Deus sabe que não havia intenção egoísta alguma no meu coração nesse dia. Eu amava tanto a minha bela Mabel que me contentaria com só uma parcela do seu amor, e pensara tanto na minha infelicidade que não tinha como não ver que, independente do que acontecesse a ela, eu não tinha mais chance. O rapaz foi insolente comigo... Você, senhor, que é um cavalheiro, talvez não saiba o quanto pode ser irritante a insolência de alguém que está acima de você... mas eu suportei. Implorei-lhe que não maltratasse a moça, pois o que poderia ser apenas passatempo para ele poderia terminar em decepção para ela. Pois nunca pensei mal dela, muito menos que algo de ruim pudesse lhe acontecer... meu coração temia somente por sua infelicidade. Quando perguntei ao rapaz quando pretendia se casar com ela, a gargalhada que soltou me irritou tanto que perdi a cabeça e disse-lhe que não permitiria que a vida dela fosse destruída. O rapaz ficou irritado também e, na raiva, disse tantas coisas cruéis sobre ela que jurei que ele não viveria para fazer-lhe mal. Só Deus sabe como tudo aconteceu, pois nesses momentos de emoção é difícil lembrar de como as coisas vão de palavras a golpes, mas flagrei-me diante de seu corpo morto, com as mãos vermelhas do sangue que fluía de sua garganta rasgada. Estávamos sozinhos, e ele era um forasteiro; não tinha parentes para procurá-lo, e nem sempre se descobre um assassinato... não de imediato. Até onde eu sei, os ossos dele ainda devem estar expostos ao tempo na lagoa em que o deixei. Ninguém achou suspeito o sumiço, nem quis saber o motivo, exceto minha pobre Mabel, que não ousou falar nada. Mas foi tudo em vão, pois, quando voltei, após meses ausente... pois não conseguia viver naquele lugar... fiquei sabendo que a ela viera a vergonha e que nela falecera. Até então eu fora sustentado pela ideia de que meu crime salvara seu futuro, mas quando descobri que já era tarde demais, que meu amor fora maculado pelo pecado daquele homem, fugi trazendo nos ombros a culpa por esse crime desnecessário, mais pesada do que eu podia suportar. Ah, meu senhor, quem não cometeu um pecado desses não sabe como é ter de carregá-lo. Pode até achar que com o tempo a gente se acostuma, mas não é assim. Ele cresce e cresce a cada hora até que fica intolerável, e cresce com ele a impressão de que você jamais poderá entrar no paraíso. O senhor não sabe como é isso, e rogo a Deus que nunca saiba. Os homens comuns, para quem tudo é possível, não costumam, talvez nunca pensem no céu. É só um nome, nada mais, e para eles basta esperar e deixar tudo como está, mas, para quem está fadado a ser impedido de entrar, você nem imagina como é, não pode entender o anseio terrível e eterno de ver os portões abertos, de poder juntar-se aos espíritos de luz lá dentro.

"E daí vem o meu sonho. Eu via os portões à minha frente, com grades de aço maciço e barras da grossura de um mastro, tão alto que alcançava as nuvens, e tão próximo estava que entre elas surgia apenas um lampejo de uma gruta de cristal, em cujas paredes brilhantes eu via seres vestidos de branco, rostos radiantes de alegria. Diante do portão, meu coração e minha alma eram tomados de tanto êxtase e anseio que eu esquecia tudo. E no portão via dois anjos poderosos com asas enormes e ah, com uma expressão tão austera. Cada um tinha na mão uma espada flamejante, e na outra a fita, que fluía ao mais leve toque. Mais perto havia seres vestidos de preto, de cabeça coberta, de modo que só se viam os olhos, e entregavam a cada um que chegava vestes brancas como as que os anjos usavam. Vinha um murmúrio suave dizendo que todos deviam vestir seus mantos sem sujá-los, ou os anjos não deixariam que passassem e os derrubariam com suas espadas flamejantes. Ansioso por vestir meu manto, eu o jogava por cima da cabeça às pressas e ia ligeiro para o portão, mas ele não se mexia, e os anjos, largando a fita, apontavam para o meu manto; eu olhava para baixo e ficava estarrecido, pois estava todo manchado de sangue. Minhas mãos estavam vermelhas; brilhavam com o sangue que pingava delas, como naquele dia, na margem do rio. E então os anjos erguiam as espadas flamejantes para me destruir, concluindo o terror. Acordei. Várias vezes esse sonho me acometeu. Nunca aprendo com a experiência, nunca me lembro; no começo, a esperança está sempre presente para deixar o final ainda mais apavorante. E sei que o pesadelo não vem da escuridão comum onde são feitos os sonhos, mas que é enviado por Deus como punição! Eu nunca, nunca poderei passar pelos portões, pois a sujeira nas vestes virá sempre destas mãos cobertas de sangue!

Eu escutava como se enfeitiçado enquanto Jacob Settle falava. Havia algo de tão distante no tom de sua voz — algo tão onírico e místico nos olhos que pareciam enxergar através de mim, vendo algum espírito por detrás —, algo de tão elevado em sua dicção e que contrastava tanto com suas roupas batidas de trabalho e a moradia pobre que cheguei a me perguntar se a coisa toda não passava de um sonho.

Ficamos os dois em silêncio por um bom tempo. Eu não tirava os olhos do homem à minha frente, cada vez mais maravilhado. Agora que fizera sua confissão, sua alma, que estivera como que esmagada sobre a terra, pareceu ficar de pé num salto, munida de força e resiliência. Suponho que o esperado seria eu ter ficado horrorizado com a história, porém, por mais estranho que fosse, não fiquei. É certo que não há nada agradável em tornar-se o portador da confissão de um assassino, mas o pobre coitado parecia não somente ter sido provocado como ter cometido o crime num ato de tamanho altruísmo que não senti que deveria julgá-lo. Tive vontade apenas de confortá-lo, então falei com toda a calma que pude, pois meu coração batia forte e rápido:

— Você não deve se desesperar, Jacob Settle. Deus é muito bom e muito misericordioso. Continue vivendo e trabalhando na esperança de que algum dia venha a sentir que já pagou pelo passado. — Então fiz uma pausa, pois vi que o sono profundo, e natural, dessa vez, começava a dominá-lo. — Pode dormir — eu disse. — Ficarei ao seu lado, aqui, e não haverá mais pesadelos esta noite.

O homem se esforçou para recompor-se e respondeu:

— Não sei como agradecer pela bondade que me concedeu hoje, mas acho melhor você ir embora, agora. Vou tentar dormir e passar por esta noite; sinto que tirei um peso enorme da mente por ter contado tudo a você. Se ainda resta algo do homem que fui dentro de mim, devo enfrentar a vida sozinho.

— Já que prefere assim, então eu vou — eu disse. — Mas escute o que digo: não viva assim tão sozinho. Fique mais perto das pessoas, viva junto delas. Partilhe alegrias e tristezas; isso vai ajudá-lo a esquecer. Esta solidão toda só traz melancolia.

— Eu o farei — ele respondeu, quase inconsciente, pois o sono o sobrepujava.

Virei-me para ir, mas ele me procurou. Eu acabara de tocar o trinco, que soltei e, voltando à cama, estendi a mão. Ele a segurou com as duas mãos, sentando-se na cama, e eu me despedi, tentando animá-lo:

— Tenha coragem, homem! Há muita coisa para você fazer neste mundo, Jacob Settle. Você ainda poderá vestir aquele manto branco e passar por aquele portão de aço!

Dito isso, deixei-o.

Uma semana depois, encontrei seu chalé abandonado, e, ao perguntar sobre ele no trabalho, disseram-me que tinha ido "para o norte", ninguém sabia direito para onde.

Dois anos depois, eu passava alguns dias com meu amigo dr. Munro em Glasglow. Era um homem atarefado e não tinha muito tempo livre para passear comigo, então passei os dias em excursões para o Trossachs, o lago Katrine e o rio Clyde. Na penúltima noite de minha estadia, retornei um pouco mais tarde do que pretendia, mas descobri que meu anfitrião também se atrasara. A criada me disse que ele fora chamado ao hospital, para atender um caso de acidente no gasoduto, e que o jantar fora adiado para dali a uma hora. Eu lhe disse que daria uma volta para encontrar meu amigo e voltaria com ele, e saí. No hospital, encontrei-o lavando as mãos, pronto para voltar para casa. Casualmente, perguntei-lhe de que se tratava o caso.

— Ah, o mesmo de sempre! Uma corda podre e o descaso com a vida das pessoas. Dois homens trabalhavam num gasômetro quando a corda que sustentava o andaime rompeu. Deve ter acontecido bem na hora do jantar, pois ninguém notou a ausência deles até os demais retornarem. Havia uns duzentos litros de água no gasômetro, então os dois passaram por maus bocados, coitadinhos. Contudo, um deles estava vivo, por um triz, mas foi bem difícil arrancá-lo dali. Pelo visto, ele deve a vida ao colega; nunca vi ato de tamanho heroísmo. Ficaram nadando enquanto duraram as forças, mas no final estavam tão exaustos que nem mesmo as luzes no alto nem os homens com corda, descendo para ajudá-los, bastaram para não desistirem. Só que um ficou de pé no fundo, sustentando o colega nos ombros, e esse pouco respirar fez toda a diferença na questão de vida ou morte. Foi uma visão chocante quando foram tirados, pois a água estava uma tinta púrpura, com todo o gás e o breu. O homem do alto parecia encharcado de sangue. Um horror!

— E o outro?

— Ah, pior ainda. Deve ter sido um homem dos mais nobres. A luta debaixo da água deve ter sido terrível; dá para ver pelo jeito com que o sangue foi drenado das extremidades. Olhando para ele você chega a crer nos *stigmata*.* Uma determinação dessas, penso eu, é capaz de fazer qualquer coisa neste mundo. Pode até abrir os portões do paraíso. Olha, meu chapa, a visão não é das mais agradáveis, principalmente na hora do jantar, mas você é um escritor, e este é um caso anormal. É algo que você não pode deixar de ver, pois é muito pouco provável que alguma dia veja qualquer outra coisa do gênero.

O tempo todo em que falava, meu amigo me guiava até o necrotério do hospital. Sobre a mesa, jazia um corpo coberto com um lençol branco, que o envolvia bem.

— Parece uma crisálida, não? Olha, Jack, se tem alguma verdade no velho mito de que a alma é simbolizada por uma borboleta, bem,

---

* Pessoas consideradas afligidas pelas mesmas chagas de Jesus Cristo na cruz.

então a borboleta que essa crisálida gerou era do espécime mais nobre e levava toda a luz do sol nas asas. Veja só!

Ele descobriu o rosto. Estava medonho, de fato, coberto de sangue. Contudo, reconheci-o no mesmo instante. Era Jacob Settle! Meu amigo puxou mais para baixo as dobras do lençol.

As mãos jaziam cruzadas sobre o peito arroxeado, como foram arrumadas respeitosamente por uma pessoa bondosa. Quando as vi, meu coração começou a martelar em grande exultação, pois a lembrança de seu pesadelo aterrador invadiu minha mente. Não havia mais uma mancha sequer naquelas mãos pobres e corajosas, pois que estavam brancas feito neve.

De algum modo, olhando para ele, tive a sensação de que o pesadelo terminara. Aquela nobre alma pudera ingressar pelos portões, afinal. O manto branco não tinha mais as manchas do sangue que pingava das mãos que o vestiram.

NAS AREIAS
DE CROOKEN

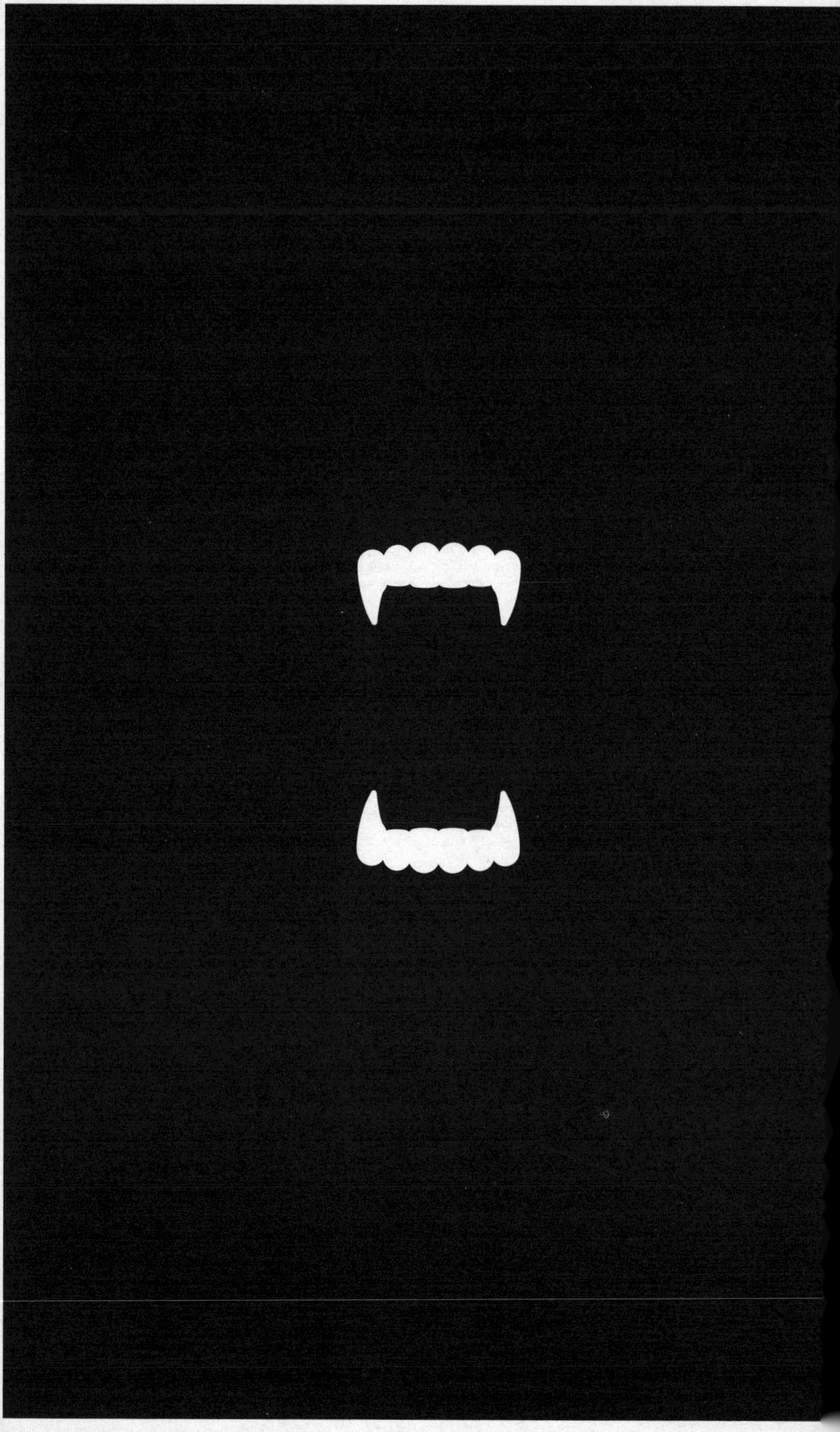

O SR. ARTHUR FERNLEE MARKAM

comprador da conhecida Casa Vermelha dos morros de Crooken, era um mercador de Londres e, sendo essencialmente um londrino típico, achou necessário, quando foi passar as férias de verão na Escócia, providenciar toda uma indumentária de figurão das Terras Altas, como representado nos cromolitogramas ou nas peças de teatro. Certa vez, vira no Empire o Grande Príncipe — o "rei Casca-Grossa" — atear fogo à plateia ao aparecer como "MacSlogan, o Próprio" cantando a celebrada canção escocesa "Nada como haggis para ressecar um cabra!", e desde então guardava na mente uma imagem fiel da figura pitoresca e bélica que o personagem ostentava. De fato, se os verdadeiros pensamentos do sr. Markam acerca da escolha de Aberdeenshire para passar as férias de verão fossem conhecidos, descobrir-se-ia que nos arredores da estância turística que permeava sua imaginação perambulava a figura colorida de MacSlogan, o Próprio. Contudo, independentemente disso, foi por muito boa sorte — certamente considerando-se a beleza do local — que ele escolheu a baía de Crooken. Era um local adorável, entre Aberdeen e Peterhead, logo abaixo do rochoso pontal de onde os longos e perigosos recifes conhecidos como Esporas estendiam-se para o mar do Norte. Entre estas e Crooken — um vilarejo abrigado pelos morros do norte — encontrava-se a baía profunda, num vale ladeado por uma série de dunas íngremes onde se viam coelhos aos milhares. Em cada ponta da baía existia um promontório rochoso, e quando o sol nascia ou se punha, a luz deitava-se sobre as rochas de sienito vermelho gerando um efeito adorável. A baía estendia-se numa porção ampla de areia nivelada e a maré recuava bastante, deixando atrás de si um terreno macio de areia firme ponteado aqui e ali pelas redes dos pescadores. Num canto da baía via-se um pequeno grupo ou conjunto de pedras cujas pontas erguiam-se um pouco acima da água, exceto quando o tempo fechava e as ondas as encobriam, esverdeadas. Na maré baixa, ficavam expostas até o nível da praia, e esse ponto talvez fosse a única porção de areia perigosa nessa porção da costa leste. Entre as pedras, separadas umas das outras por uns quinze metros, havia um pequeno atoleiro que, como em Goodwins, era perigoso somente com a maré alta. O trecho estendia-se para um lado até se perder no mar, e para o outro até se esvanecer na areia firme da praia mais acima. No aclive do morro que se erguia além das dunas, entre as Esporas e o porto de Crooken, ficava a Casa Vermelha. A construção se escondia bem no meio de um conjunto de árvores coníferas que a protegiam por três lados, deixando livre a fachada de frente para o mar. Um jardim de estilo antigo estendia-se até a estrada, por sobre a qual uma trilha de grama, que podia ser usada por veículos pequenos, abria caminho até a costa, serpeando em torno dos morros de areia.

Quando a família Markam chegou à Casa Vermelha após 36 horas de balanço no *Ban Righ*, navio a vapor para Aberdeen que partira de Blackwall, com o subsequente trajeto de trem até Yellon e os quase vinte quilômetros na estrada, todos concordaram que nunca tinham visto local mais agradável. A satisfação generalizada ficou ainda mais evidente pois, naquele momento, nenhum membro da família, por diversos motivos, achava-se muito propenso a apreciar qualquer coisa ou qualquer lugar da costa escocesa. Embora fosse uma família grande, a prosperidade dos negócios permitia-lhes toda sorte de luxos pessoais, entre os quais estava a diversidade na indumentária. A frequência com que as meninas apareciam com vestidos novos era motivo de inveja para as amiguinhas e de alegria para elas mesmas.

Arthur Fernlee Markam não perguntara aos familiares o que achavam do seu novo traje. Não tinha lá tanta certeza de que não seria ridicularizado, ou pelo menos tratado com sarcasmo, e, por ser bastante sensível nesse quesito, achara melhor esperar até quando estivesse de fato no ambiente adequado para permitir que todo o seu esplendor a eles se revelasse. Markam tivera grande dificuldade para garantir que o traje das Terras Altas estivesse completo. Para tal propósito, fizera muitas visitas ao "Mercado de Lã, Tartã e Roupas Escocesas", inaugurado há pouco tempo na Copthall Court pelos messieurs MacCallum More e Roderick MacDhu. Sem contar as ansiosas consultas com o chefe da firma — MacCallum, como preferia ser chamado, dispensando quaisquer incrementos, como "senhor" ou "nobre". Todo o estoque de fivelas, botões, fitas, broches e ornamentos de diversos tipos foi examinado em crítico detalhe, e enfim descobriram uma pluma de águia de proporções suficientemente magníficas, completando o conjunto. Somente quando viu o traje terminado, com os tons vívidos do tartã aparentemente adaptados para uma relativa sobriedade, com a diversidade de penduricalhos de prata, os broches de topázio, o kilt, a adaga e o sporran, Markam ficou completa e absolutamente satisfeito com sua escolha. Inicialmente, cogitara a vestimenta da família real, mas abandonou a ideia quando MacCallum apontou que, caso ele passasse pela vizinhança de Balmoral, poderia ter problemas. MacCallum, que, a propósito, falava com marcado sotaque inglês, sugeriu outros tecidos no lugar, porém agora que essa outra questão de precisão fora levantada, o sr. Markam previu dificuldades se por acaso fosse parar na região do clã cujas cores ele usurpara. MacCallum, finalmente, procedeu a arranjar, às custas de Markam, que tecessem uma estampa especial que não fosse exatamente igual a qualquer tartã existente, embora partilhasse as características de muitos. Fora baseado na família real Stuart, mas continha sugestões, quanto à simplicidade de padrões, dos clãs de Macalister e Ogilvie, e quanto à neutralidade de cores, dos clãs de Buchanan, Macbeth, Macintosh e Macleod. Quando o espécime foi apresentado a Markam, ele receou que parecesse, a seu círculo doméstico, um tanto espalhafatoso; porém, como Roderick MacDhu teve um verdadeiro acesso de êxtase diante de tanta beleza, não fez mais objeção que completassem a peça. Considerara ele, e sabiamente, que se um escocês genuíno como MacDhu tinha gostado, então estava tudo certo — principalmente sendo o sócio mais novo homem muito similar a ele em estrutura e aparência. MacCallum recebia o cheque — que, por sinal, era dos mais robustos — quando comentou:

— Tomei a liberdade de mandar tecer um pouco mais do desenho, caso você ou algum de seus amigos o queiram.

Markam ficou satisfeito e disse-lhe que ficaria para lá de contente se o lindo material que criaram em conjunto acabasse tornando-se um favorito, como não tinha a menor dúvida de que viria a ser. E que o lojista podia produzir e vender o quanto quisesse.

Certa noite, quando os funcionários tinham todos ido embora, Markam provou o traje em seu escritório. Ficou satisfeito, embora um pouco receoso, com o resultado. MacCallum exercera seu ofício com minúcia, e não havia nada que pudesse acrescentar à dignidade marcial do modelo.

— É claro que não pretendo levar a espada e as pistolas comigo em ocasiões comuns — disse Markam para si mesmo quando começou a despir-se.

Resolvera usar o traje pela primeira vez quando chegasse à Escócia. De acordo, na manhã em que o *Ban Righ* boiava ao lado do farol de Girdle Ness, aguardando a maré baixa para atracar no porto de Aberdeen, ele emergiu de sua cabine em todo o espalhafatoso esplendor de seu novo traje. O primeiro comentário que ouviu foi de um dos filhos, que não o reconheceu de imediato.

— Olha esse cara! Minha nossa! É o governador!

E o menino saiu correndo e tentou abafar o riso numa das almofadas no salão. Markam era bom marinheiro e não sofria nem um pouco com o balanço do navio, de modo que seu rosto naturalmente rubicundo ficou ainda mais rosado com o perceptível rubor que preencheu suas bochechas quando ele descobriu ser o centro das atenções. Chegou a pensar que talvez fosse melhor não ser tão ousado, pois sentia, com o frio, o grande ponto exposto abaixo de um dos lados do chapéu que ostentava tão vivamente. Contudo, enfrentou bravamente o grupo de desconhecidos. Não demonstrou aborrecimento nem quando alguns dos comentários alcançaram-lhe os ouvidos.

— O cara enlouqueceu de vez — disse um londrino metido num terno de estampa xadrez exagerada.

— Parece que está coberto de moscas — disse um americano alto e esguio, pálido de tanto enjoo, que estava a caminho de arranjar moradia o mais rápido que pudesse perto dos portões de Balmoral.

— Boa ideia! Que venham mais desses; a hora é agora! — disse um jovem de Oxford, a caminho de Inverness.

Contudo, o sr. Markam ouviu apenas a voz de sua filha mais velha.

— Onde está ele? Onde está ele? — E ela veio correndo pelo deque, com o chapéu esvoaçando atrás do corpo.

O rosto mostrava sinais de agitação, pois sua mãe acabava de lhe contar sobre as condições do pai; porém, quando o viu, a menina começou a gargalhar tanto que acabou num verdadeiro ataque histérico. Algo muito similar aconteceu a cada um dos outros filhos. Terminada a rodada de risos, o sr. Markam foi até a cabine e mandou a criada da esposa avisar a cada membro da família que ele queria vê-los imediatamente. Todos apareceram, suprimindo seus sentimentos o mais que podiam. Muito baixinho, o homem lhes disse:

— Meus queridos, não sou eu quem lhes concede amplas mesadas?

— Sim, pai! — todos responderam gravemente. — Não há como ser mais generoso!

— Não deixo que se vistam como lhes agrada?

— Sim, pai! — Dessa vez, mais tímidos.

— Então, meus queridos, não acham que seria mais gentil e bondoso da sua parte não tentar me fazer sentir desconfortável, ainda que eu passe a usar um traje que é ridículo para vocês, embora bastante comum no país em que estamos prestes a residir?

Não houve resposta, a não ser as cabeças baixas. Ele era um bom pai, e todos o sabiam. Muito satisfeito, ele prosseguiu:

— Muito bem, então, vão brincar! Não falaremos mais uma palavra sobre o assunto.

E retornou ao convés, onde enfrentou bravamente as chamas do ridículo que percebia a seu redor, embora não tenham dito mais nada que pudesse escutar.

A admiração e o divertimento que sua indumentária ocasionou no *Ban Righ* não se comparavam, contudo, ao que criou em Aberdeen. Os garotos e os passantes, e as mulheres com seus bebês, que aguardavam no porto, seguiram-na aos montes quando a família Markam partiu para a estação de trem; até mesmos os carregadores, com suas gravatas antiquadas e seus carrinhos modernos, que aguardam os viajantes junto da rampa de acesso, seguiram-nos com curiosidade. Felizmente, o trem para Peterhead estava prestes a partir, de modo que o martírio não foi prolongado sem necessidade. Na carruagem, o glorioso costume das Terras Altas passou despercebido, e, como havia pouca gente na estação em Yellon, tudo correu bem por lá. Entretanto, quando a carruagem aproximou-se de Crooken e os pescadores correram para suas portas para ver quem é que estava passando, a empolgação passou dos limites. As crianças, em procissão, acenavam com suas boinas, correndo atrás da carruagem aos gritos; os homens largaram suas redes e as iscas e foram atrás; as mulheres agarraram-se a seus bebês e os seguiram também. Os cavalos estavam cansados da longa jornada até Yellon e de volta, e o morro era muito íngreme, por isso houve tempo suficiente para a multidão reunir-se e até passar na frente deles.

A sra. Markam e as meninas mais velhas chegaram a pensar em protestar ou tomar alguma atitude para aliviar o sofrimento de ver tamanha zombaria em todos aqueles rostos, mas havia um ar de firme determinação no rosto do aspirante a escocês nato que as deixou um tanto admiradas, então ficaram em silêncio. Talvez fosse possível que a pluma de águia, ainda que aprumada na cabeça careca, o broche de topázio bem ajustado no ombro gordo e o conjunto de espada, adaga e pistolas, embora presos em torno da extensa pança e brotando da meia na panturrilha robusta, cumpriam sua função como símbolos de marcial e aterradora importância. Quando o grupo chegou aos portões da Casa Vermelha, uma multidão de habitantes de Crooken os aguardava, sem chapéu, em respeitoso silêncio; o restante da população subia com dificuldade o aclive do morro. O silêncio foi quebrado por apenas um som, a voz grave de um homem.

— Ora, mas ele esqueceu a gaita de foles!

Os criados haviam chegado alguns dias antes, e já estava tudo pronto. Na alegria que seguiu um belo almoço após a penosa jornada, todos os desagrados da viagem e todo o sofrimento decorrente da adoção do traje medonho foram esquecidos.

À tarde, Markam, ainda metido no conjunto completo, saiu para caminhar por Crooken. Estava sozinho, pois, por mais estranho que fosse, a esposa e as duas filhas estavam com dor de cabeça e tinham ido se deitar, disseram-lhe, para descansar da fadiga da viagem. O filho mais velho, que alegava já ser um jovem adulto, saíra sozinho para explorar os arredores, e um dos meninos tinha sumido. O outro, quando lhe disseram que o pai pedira que o chamassem para acompanhá-lo na caminhada, conseguira — por acidente, é claro — cair na água, e teve de secar-se e trocar de roupa. Como suas roupas ainda não tinham sido tiradas das malas, claro que tudo isso não pôde ser feito sem demora.

Markam não ficou muito satisfeito com a caminhada. Não encontrou nenhum dos vizinhos. Não por não haver bastante gente por ali, pois todas as casas e chalés pareciam lotados, mas os que saíam permaneciam na porta de casa e ficavam para trás; os outros pegavam a estrada e sumiam lá na frente. Ao passar, Markam via os topos das cabeças e os brancos dos olhos nas janelas ou junto das portas. A única conversa que tivera não fora das mais agradáveis. Esta deu-se com um homem meio esquisito, que quase ninguém ouvia falar, a não ser quando resolvia aderir ao "amém" na igreja. Sua única ocupação parecia ser aguardar, na janela do correio, das oito da manhã até a chegada da correspondência, à uma da tarde, quando transportava a bolsa até um castelo baronial nas redondezas. O restante do dia ele passava sentado numa porção mais erma do porto, onde os miúdos dos peixes, os restos das iscas e o lixo das casas eram jogados, e onde os patos costumavam aprontar um escarcéu.

Quando o viu chegar, Saft Tammie ergueu os olhos, que em geral fitavam o nada na estrada oposta a seu banquinho, e, como se atingido por um raio de luz do sol, esfregou-os e os protegeu com a mão. Então se levantou e ergueu a mão, como se censurando, e disse:

— "Vaidade das vaidades, disse o pastor. Tudo é vaidade." Homem, esteja avisado! "Olhai para os lírios do campo, não trabalham nem fiam, entretanto nem mesmo Salomão, em toda a sua glória, se vestiu como qualquer deles." Homem! Homem! Tua vaidade é como a areia movediça que engole tudo que dela se aproxima. Cuidado com a vaidade! Cuidado com o atoleiro, que abre sua bocarra para ti, e que te engolirá inteiro! Cuidado! Repara em tua vaidade! Encara-te face a face, e nesse momento descobrirás a força fatal da tua vaidade. Repara, conhece e arrepende-te ou o atoleiro te engolirá!

Sem dizer mais nada, o homem retornou ao banco e ficou ali sentado, imóvel e indiferente como antes.

Markam não pôde evitar abater-se um pouco com a invectiva. Por ter sido proferida por um homem aparentemente insano, seria fácil considerá-la nada mais que uma exibição excêntrica do humor ou da insolência do escocês; porém, a gravidade da mensagem — pois não fora outra coisa — tornava tal leitura impossível. Estava determinado, contudo, a não ceder à zombaria e, embora ainda não tivesse visto nada na Escócia que ao menos lembrasse um kilt, resolveu continuar usando o traje das Terras Altas. Quando voltou para casa, menos de meia hora depois, descobriu que todos os membros da família, apesar da dor de cabeça, tinham saído para caminhar. Aproveitando a oportunidade que lhe conferia a ausência, trancou-se no quarto de vestir, tirou o traje das Terras Altas, vestiu um robe de flanela, fumou charuto e tirou uma soneca. Acordou com o barulho que a família fez ao entrar, e correu vestir o traje para fazer sua aparição na sala de desenho, onde serviam o chá.

Não saiu mais nessa tarde. Após o jantar, tornou a vestir o traje — pois, obviamente, usara roupas usuais para jantar — e foi sozinho caminhar na encosta. A essa altura, chegara à conclusão de que se acostumaria aos poucos com o traje das Terras Altas antes de fazer dele sua indumentária habitual. Com a lua a pino, foi fácil seguir a trilha em meio aos montinhos de areia, e logo ele estava na praia. A maré baixara e a areia estava firme feito rocha, então ele seguiu para o sul, até perto da ponta da baía. Ali chamou sua atenção um par de pedras isoladas um pouco distantes da beirada das dunas, então foi até elas. Quando alcançou a mais próxima, escalou-a e, sentado uns cinco metros acima da extensão de areia, apreciou o panorama, adorável e tranquilo. A lua erguia-se acima do pontal de Pennyfold, e o luar tocava a ponta da pedra mais distante das Esporas, cerca de um quilômetro adiante; o restante das rochas, as sombras encobriam. Conforme a lua avançava sobre o pontal, as pedras das Esporas e depois a praia eram, aos poucos, banhadas de luz.

Por um bom tempo Markam ficou sentado, vendo a lua subir e a porção crescente de área iluminada que acompanhava a subida.

Depois se sentou virado para o leste com o queixo na mão, olhando para o mar, apreciando a paz, a beleza e a liberdade do cenário. A barulheira de Londres — a escuridão, a dificuldade, a canseira da vida em Londres — parecia-lhe coisa do passado, e ele vivia, nesse momento, uma vida mais livre e saborosa. Viu a água cintilante abrir caminho por sobre a extensão de areia, chegando rápida, cada vez mais perto — a maré subia. Nesse momento, ouviu gritos distantes na praia, muito ao longe.

— Os pescadores, falando uns com os outros — disse para si mesmo, olhando ao redor.

Ao fazê-lo, foi acometido por um terrível choque, pois, embora uma nuvem acabasse de passar pela lua, ele viu, apesar da escuridão súbita que o envolvera, sua própria imagem. Por um instante, no topo da pedra oposta, viu a nuca pelada e o chapéu escocês com a imensa pluma de águia. Ao cambalear para trás, seu pé escorregou, e ele começou a deslizar para a areia, entre as duas pedras. Não se preocupava com a queda, no entanto, pois a areia estava poucos metros abaixo; sua mente ocupava-se apenas da figura, seu simulacro, que já tinha desaparecido. Por ser o meio mais fácil de alcançar terra firme, Markam preparou-se para pular o restante do espaço. Tudo isso levou apenas um segundo, mas o cérebro trabalha rápido, e enquanto juntava forças para o salto, ele viu a areia sob seus pés, plana e lisa feito mármore, remexer e tremular de um jeito esquisito. Um medo súbito o sobrepujou; seus joelhos falharam, e em vez de pular, ele escorregou pela pedra, ralando as pernas nuas. Seus pés tocaram a areia — mergulharam nela como se fosse água — e ele já havia afundado até os joelhos quando percebeu que estava num atoleiro. Agarrou-se depressa à pedra para não afundar ainda mais; felizmente, havia uma protuberância na qual foi capaz de prender-se por instinto. Ficou agarrado a ela, imerso em desespero. Tentou gritar, mas estava sem fôlego; somente com grande esforço conseguiu soltar a voz. Gritou mais uma vez, e foi como se o som de sua voz lhe desse renovada coragem, pois foi capaz de segurar-se na pedra por muito mais tempo do que julgava possível — embora segurasse sem ver nada, em total desespero. Suas mãos começavam a fraquejar quando — mas que alegria! — seus gritos foram respondidos por uma voz rouca bem acima dele.

— Graças a Deus não cheguei tarde demais!

Era um pescador com botas altas, até as coxas, que vinha escalando a pedra às pressas. Num instante ele compreendeu a gravidade da situação, e com um "Aguente aí, meu chapa! Estou chegando!", desceu até encontrar ponto firme no qual apoiar o pé. Então, segurando-se com força na pedra acima, reclinou-se e, ao pegar Markam pelo pulso, gritou para ele:

— Pegue a minha, homem! Segure com as duas mãos!

Empregando toda a sua força, com um puxão firme e vigoroso, arrancou Markam do faminto atoleiro e pousou-o a salvo na pedra. Quase sem tomar tempo para recuperar o fôlego, arrastou-o dali — sem soltá-lo em momento algum —, por sobre a pedra, até a areia firme além dela, e finalmente depositou-o, ainda trêmulo com a magnitude do perigo, mais adiante, na praia. Então começou a falar:

— Nossa, eu cheguei bem a tempo! Se eu tivesse entrado na palhaçada dos rapazes e não tivesse começado a correr na mesma hora, você estaria afundando para as entranhas da terra a essa altura! Wully Beagrie achou que você fosse um fantasma, e Tom MacPhail jurou que você parecia um duende num cogumelo! "Nem!", disse eu. "É aquele inglês doido... o maluco que escapou do museu de cera." Achei que, sendo todo esquisito e bobo, pelo menos é o que parece, não ia saber sobre a areia movediça! Eu gritei para avisá-lo, depois corri para puxá-lo, se fosse preciso. Mas agradeça a Deus, quanto sua vaidade permitir, que eu pude chegar a tempo! — disse ele, erguendo o chapéu, respeitoso, ao falar.

Markam ficou profundamente comovido e grato por ter escapado de uma morte horrenda, mas a ferroada da acusação de vaidade direcionada a sua pessoa mais uma vez perpassou-lhe a dignidade. Estava prestes a retrucar raivoso quando subitamente foi tomado por admiração ao lembrar-se das palavras do carteiro ruim das ideias: "Encara-te face a face, arrepende-te ou o atoleiro te engolirá!".

Nesse momento, lembrou-se também do sósia que vira e do perigo súbito que enfrentara no atoleiro logo em seguida. Ficou em silêncio por um minuto, e então disse:

— Meu bom rapaz, devo-lhe a minha vida!

A resposta veio com reverência da parte do robusto pescador.

— Que nada, você a deve a Deus. Quanto a mim, só fico contente de ser o humilde instrumento da misericórdia dele.

— Mas permita-me agradecer-lhe — disse o sr. Markam, tomando as mãos de seu salvador nas suas, segurando-as com força. — Estou com o coração ainda apertado demais, e os nervos abalados demais para dizer muita coisa, mas acredite, estou muito, muito agradecido!

Ficou bem evidente que o pobre senhor estava profundamente comovido, pois as lágrimas escorriam-lhe pelas bochechas.

Com cortesia rústica, porém sincera, o pescador disse:

— Sim, senhor! Agradeça como quiser... se fizer bem ao seu pobre coração. E acho que, se fosse comigo, eu ficaria grato também. Mas, senhor, quanto a mim, não precisa agradecer. Estou contente, muito contente!

Que Arthur Fernlee Markam ficou realmente muito agradecido, ele o demonstrou na prática certo tempo depois. Em questão de uma semana, apareceu no porto de Crooken o mais belo barco de pesca que já se vira no cais de Peterhead. Chegou todo cheio de velas e equipamento de todo tipo, e com as melhores redes. O capitão e os marujos foram embora de coche, após deixarem com a esposa do pescador a papelada que passava o barco para ele.

Caminhando juntos, o sr. Markam e o pescador, ao longo da encosta, aquele pediu ao companheiro que não mencionasse o fato de que enfrentara perigo tão iminente, pois que isso somente traria angústia para sua querida esposa e seus filhos. Ele disse que alertaria a todos sobre o atoleiro, e, para tal propósito, ali mesmo ele fez perguntas sobre o local até sentir que tinha todas as informações acerca do assunto. Antes de se despedirem, perguntou ao companheiro se por acaso este vira outra pessoa, vestida como ele, na outra pedra, quando se aproximou para socorrê-lo.

— Não, não — foi a resposta —, não tem ninguém parecido nestas partes. Não tem desde o tempo do velho Jamie Fleeman... esse era o bobo de Lorde Udny. Ora, uma roupa esquisita dessas não se vê nestas partes desde que se tem registro. E eu acho que uma roupa dessas não serve para se sentar na pedra nua, como você fez. Meu chapa, você não tem medo de pegar um reumatismo ou uma lombalgia se sentando assim, em pelo, na pedra gelada? Pensei que fosse maluco quando o vi de manhã, no porto, pois só pode ser tolice ou burrice agir dessa maneira!

O sr. Markam não quis contestar o ponto de vista, e, como estavam perto de sua casa, perguntou ao pescador se não queria tomar uma dose de uísque — que este aceitou — e pouco depois se despediram, pois anoitecera. Ele teve o cuidado de avisar toda a família sobre o atoleiro, contando-lhes que sofrera ali certo apuro.

Passou a noite toda em claro. Ouviu o soar das horas, uma após a outra, mas não importava o que fazia, não conseguia dormir. O terrível episódio do atoleiro repetia-se em sua mente, desde o momento em que Saft Tammie rompera seu silêncio habitual para pregar-lhe sobre o pecado da vaidade e adverti-lo. A pergunta não parava de soar em sua mente: "Sou tão vaidoso assim para ser incluído na categoria dos tolos?", e a resposta vinha nas palavras do profeta louco: "'Vaidade das vaidades! Tudo é vaidade.' Encara-te face a face, arrepende-te ou o atoleiro te engolirá!". Começou a se formar em sua mente o pressentimento de que ele ainda pereceria naquele mesmo atoleiro, pois ali já se encarara face a face.

Estava para amanhecer quando adormeceu, mas ficou evidente que continuou refletindo sobre o assunto em seus sonhos, pois foi acordado pela esposa, que disse:

— Fique quieto! Aquele traje das Terras Altas mexeu com a sua cabeça. Vê se para de falar enquanto dorme!

Veio-lhe uma sensação boa, como se um terrível peso lhe fosse retirado dos ombros, mas não entendeu bem o motivo. Perguntou à esposa o que disse enquanto dormia, e ela respondeu:

— Você disse a mesma coisa várias vezes, Deus bem o sabe, pois não consigo esquecer... "Face a face, não! Eu vi a pluma da águia na cabeça careca! Ainda há esperança! Face a face, não!" Tente dormir! E já!

Finalmente Markam adormeceu, pois dera por não cumprida a profecia do maluco. Ele não tinha encarado a si mesmo face a face — pelo menos, não ainda.

Mais tarde, uma das criadas o acordou quando veio dizer que havia um pescador à porta querendo vê-lo. Markam vestiu-se o mais rápido que pôde — pois ainda não estava tão habituado ao traje das Terras Altas — e desceu às pressas, não querendo deixar o pescador esperando. Surpreso, e não muito contente, constatou que o visitante era nada mais, nada menos que Saft Tammie, que abriu fogo contra ele assim que o viu:

— Eu ia esperar até depois do correio, mas pensei em gastar uma horinha com você, então vim só para ver se você ainda é aquele tolo cheio de vaidade que eu vi ontem à noite. E vejo que você não aprendeu a lição. Bem, sua hora vai chegar, isso é certo! No entanto, tenho a manhã inteira só para mim, então vou ficar de olho só para ver você ir por conta própria até o atoleiro, e depois pro diabo! Vou embora, tenho que ir trabalhar.

E o homem saiu andando, deixando o sr. Markam consideravelmente vexado, pois as criadas ali perto tentavam em vão esconder o riso. Decidira usar roupas normais nesse dia, mas a visita de Saft Tammie reverteu a decisão. Pretendia mostrar a todos que não era nenhum covarde, e continuaria como começara — viesse o que viesse. Quando apareceu para tomar café da manhã com a panóplia marcial completa, as crianças, todas ao mesmo tempo, baixaram a cabeça e suas nucas ficaram para lá de vermelhas. Como, no entanto, nenhuma delas riu — exceto Titus, o menino mais novo, que foi tomado por um acesso histérico e quase engasgou, sendo prontamente removido da sala —, ele não pôde repreendê-las, e começou a quebrar seu ovo com ares de austera resolução. Foi um infortúnio que, quando a esposa lhe passou uma xícara de chá, um dos botões da manga prendeu-se na fita que envolvia a louça, e como resultado o chá quente derramou-se sobre seus joelhos expostos. Naturalmente, ele soltou um palavrão, e a esposa, um tanto aborrecida, interveio:

— Bem, Arthur, se vai bancar um idiota completo usando essas roupas ridículas, o que mais pode esperar? Não está acostumado com elas... e nunca ficará!

Como resposta, ele começou um discurso indignado:

— Senhora!

Mas não passou disso, pois agora que o assunto fora abordado, a sra. Markam pretendia dizer tudo que pensava. Não foi um discurso dos mais agradáveis, e, a bem da verdade, não foi proferido do modo mais agradável. As mulheres raramente agem com amabilidade quando resolvem contar a seus maridos umas "verdades" sobre eles. Como resultado, Arthur Fernlee Markam resolveu ali mesmo que, durante sua estadia na Escócia, não usaria qualquer outra vestimenta que não esta que a esposa detestava. A esposa teve de dar a última palavra, e dessa vez às lágrimas:

— Muito bem, Arthur! Claro que você fará como quiser. Ridicularize-me o máximo que puder, e arruíne as chances das suas filhas, coitadinhas. Os rapazes não costumam se incomodar, em geral, por ter um imbecil como sogro! Mas devo alertá-lo de que essa sua vaidade algum dia será repreendida terrivelmente... isso se antes você já não estiver num asilo ou morto!

Ficou evidente, após alguns dias, que o sr. Markam teria de executar boa parte de seus exercícios ao ar livre sozinho. As meninas vez por outra saíram para caminhar com ele, principalmente de manhã bem cedo ou tarde da noite, ou num dia chuvoso, quando não haveria ninguém na rua. Elas alegavam que se dispunham a sair a qualquer hora, mas, de algum modo, sempre acontecia alguma coisa que as impedia. Os meninos nunca estavam por perto nessas ocasiões; quanto à sra. Markam, recusava-se severamente a sair com ele sob quaisquer hipóteses enquanto ele não parasse de agir feito um tolo. No domingo, ele se vestiu com as roupas de sempre, pois ponderou que a igreja não era lugar para ressentimento; na segunda, entretanto, retomou o traje das Terras Altas. A essa altura, talvez nem mesmo se lembrasse do traje, mas sua obstinação inglesa era forte, e ele não desistia. Saft Tammie aparecia em sua casa todos os dias e, não podendo vê-lo nem mandar-lhe um recado, costumava reaparecer à tarde, quando já tinha entregado a bolsa de cartas, e o pegava bem na hora do passeio. Nessas ocasiões, jamais deixava de alertá-lo acerca de sua vaidade nos mesmos termos que usara na primeira vez. Não demorou para que o sr. Markam visse o homem como nada mais que uma praga.

Lá pelo fim da semana, a solidão parcial forçada, a constante mortificação e o cismar interminável que tudo isso engendrava começaram a fazer muito mal ao sr. Markam. Era orgulhoso demais para confidenciar qualquer coisa à família, visto que, em seu ponto de vista, todos o tratavam muito mal. Além disso, não dormia bem à noite e, quando conseguia dormir, sempre tinha pesadelos. Apenas para assegurar-se de que sua bravura não o abandonara, criou o hábito de visitar o atoleiro pelo menos uma vez por dia; jamais deixava de ir até lá, nem que fosse a última atividade da noite. Talvez fosse esse hábito o que mantinha o atoleiro e a terrível experiência nele vivida tão perpetuamente entremeados nos sonhos dele. Estes foram ficando cada vez mais vívidos, até que ao acordar algumas vezes, ele mal podia afirmar se não estivera pessoalmente no terreno fatal. Às vezes, achava que tinha virado um sonâmbulo.

Certa noite, o pesadelo foi tão vívido que, quando acordou, não podia acreditar que fora apenas um sonho. Abriu e fechou os olhos várias vezes, mas sempre a visão, se era mesmo uma visão, ou a realidade, se era realidade, aparecia diante dele. A lua cheia brilhava amarelada acima do atoleiro, do qual ele se aproximava; ele via a extensão de luz trêmula e agitada e cheia de sombras negras sobre a areia líquida, que tremia e palpitava, enrugando-se e ondulando à vontade entre as pausas de mármore plano. Conforme ele chegava mais perto do atoleiro, outra figura aproximava-se vindo do lado oposto, no mesmo ritmo. A pessoa que vinha era ele mesmo, e num silêncio aterrador, compelido por uma força que desconhecia, ele avançava — encantado como o passarinho pela cobra, mesmerizado ou hipnotizado — para encontrar seu outro eu. Sentindo a areia espalhada encobri-lo por completo, Markam acordou na agonia da morte, tremendo de medo e, por mais estranho que fosse, com a profecia do maluco ressoando em seus ouvidos: "'Vaidade das vaidades! Tudo é vaidade!' Encara-te e arrepende-te ou o atoleiro te engolirá!".

Tão convencido estava de que aquilo não era sonho que se levantou, por mais cedo que fosse, vestiu-se sem perturbar a esposa e seguiu para a encosta. Seu coração parou quando ele deparou com uma trilha de pegadas na areia que imediatamente reconheceu como suas. O mesmo calcanhar largo, o mesmo dedão quadrado; não houve mais dúvida de que ele de fato estivera ali, e, um tanto horrorizado, um tanto ainda num estado de estupor, seguiu as pegadas, que pareciam esvanecer-se à beira do atoleiro. Foi com choque que constatou que não havia pegadas na areia do caminho de volta, e teve a sensação de estar diante de um terrível mistério que não podia penetrar, e que fazer isso, ele temia, resultaria em sua desgraça.

Nessa situação, Markam tomou dois caminhos errados. Primeiro, guardou o problema para si; como ninguém da família fazia a menor ideia do que se passava, cada palavra ou expressão inocente que usavam fornecia combustível para o fogo faminto que ardia em sua imaginação. Em segundo lugar, começou a ler livros que alegavam abordar os mistérios dos sonhos e dos fenômenos mentais em geral, de modo que toda e qualquer suposição de cada filósofo doentio ou até mesmo meio maluco tornava-se um verdadeiro germe de inquietude no solo fértil de seu cérebro desordenado. Assim, negativa e positivamente, tudo começou a trabalhar rumo a um mesmo fim. Não menos perturbador era Saft Tammie; o homem tornara-se quase como um ponto fixo dos portões da casa, em certas horas do dia. Após algum tempo, interessado nas condições prévias desse sujeito, Markam fez perguntas sobre o passado dele e obteve os seguintes resultados:

O povo acreditava que Saft Tammie era filho de um lorde de um dos condados do estuário de Forth. Fora em parte educado para seguir o sacerdócio, mas por algum motivo que ninguém nunca soube, abandonou tais prospectos subitamente e, tendo rumado a Peterhead na época boa da caça de baleia, arranjou emprego como baleeiro. Assim permaneceu por alguns anos, ficando cada vez mais calado em seus hábitos, até que finalmente os outros marujos começaram a reclamar de tão taciturno marinheiro, e ele arranjou trabalho num dos barcos de pesca da frota do norte. Por muitos anos trabalhou como pescador, tendo sempre a reputação de "ter um parafuso solto", até que acabou fixando-se em Crooken, onde o senhorio, sem dúvida sabendo um pouco da história de sua família, concedeu-lhe função que fazia dele praticamente um pensionista. O clérigo que lhe dera essas informações concluiu dizendo:

— É uma coisa muito esquisita, mas o homem parece que tem um tipo de dom. Pode ser aquela "segunda visão" em que nós, escoceses, somos tão propensos a crer, ou outro tipo oculto de sabedoria, não sei, mas não há incidente desastroso que ocorra neste lugar sem que os homens com quem ele mora mencionem, após o evento, algo que ele disse que certamente parece ter previsto o fato. Ele fica inquieto, agitado... acorda para a vida, na verdade... quando fareja a morte no ar!

Isso não abrandou nem um pouco a preocupação do sr. Markam; pelo contrário, pareceu imprimir a profecia mais a fundo em sua mente. De todos os livros que lera acerca dessa nova matéria que estudava, nenhum o interessou mais do que um alemão intitulado *Die Döppleganger*, do dr. Heinrich von Aschenberg, residente de Bonn. Nele, Markam leu pela primeira vez sobre casos em que homens levavam uma existência dupla — cada natureza bem separada da outra —, o corpo sendo sempre uma realidade com um espírito e um simulacro com o outro. Não é preciso dizer que o sr. Markam achou que a teoria se aplicava exatamente ao caso dele. Sua duplicata, que vira de relance, de costas, na noite em que escapara do atoleiro — suas próprias pegadas desaparecendo no atoleiro, e nada de pegadas que dele saíam —, a profecia de Saft Tammie sobre encarar-se e perecer no atoleiro — tudo contribuía para a convicção de que ele mesmo era um exemplo de *döppleganger*. Ciente que estava de sua duplicata, ele tomou medidas para provar sua existência, por interesse próprio. Nesse sentido, certa noite, antes de ir para a cama, o sr. Markam escreveu seu nome com giz nas solas dos sapatos. Durante a noite, sonhou com o atoleiro, e que o visitava — sonhara tão vividamente que, quando acordou pelo amanhecer, não podia crer que não estivera lá de fato. Quando levantou, sem perturbar a esposa, foi procurar os sapatos.

As palavras escritas com giz estavam intocadas! Markam se vestiu e saiu devagarinho. Dessa vez, a maré estava alta, então ele atravessou as dunas e chegou à encosta pelo outro lado do atoleiro. Ali, ah, que horror! Ele viu suas pegadas seguindo direto para o abismo!

Voltou para casa desesperadamente entristecido. Parecia-lhe inacreditável que ele, um comerciante de meia-idade que tivera uma vida longa e tranquila em busca de sucesso em meio à agitação pragmática de Londres, encontrar-se-ia envolvido com mistério e horror, e viria a descobrir que tinha duas existências. Não podia falar de seus problemas nem mesmo para a esposa, pois bem sabia que ela requisitaria de imediato todos os particulares dessa outra vida — a que ela não conhecia; e que não apenas imaginaria, como o acusaria de toda espécie de infidelidades por causa disso. E então seu cismar ficou ainda mais taciturno. Certa noite — a maré baixava e a lua brilhava profusamente —, ele aguardava o jantar quando a criada anunciou que Saft Tammie estava fazendo um escarcéu lá fora porque não o deixavam entrar para vê-lo. Markam ficou indignado, mas não queria que a criada achasse que ele receava alguma coisa, então lhe disse que trouxesse o homem. Tammie entrou, andando com mais altivez do que nunca, de cabeça erguida e com expressão de vigorosa determinação no olhar, que em geral mirava para baixo. Assim que entrou, ele disse:

— Vim ver você de novo... de novo, e aí está você, sentado que nem uma cacatua no poleiro. Bem, meu chapa, eu te perdoo! Veja bem, eu te perdoo!

E sem dizer mais nada, o homem virou-se e saiu da casa, deixando Markam sem palavras, indignado.

Após o jantar ele resolveu fazer mais uma visita ao atoleiro — não pretendia admitir nem para si mesmo que estava com medo de ir. E então, por volta de nove da noite, com traje completo, marchou até a praia, atravessou o trecho de areia e sentou-se numa das pedras mais próximas. A lua cheia brilhava atrás dele, e o luar iluminava a baía, enfatizando a franja de espuma, o contorno escuro do pontal e as estacas das redes de pesca. No brilhante fulgor amarelado, as luzes das janelas do porto de Crooken e do distante castelo do senhorio tremulavam feito estrelas no céu. Por um bom tempo, Markam ficou sentado, sorvendo a beleza do cenário, e sua alma pareceu sentir uma paz que ele não conhecia há muitos dias. Toda a mesquinharia, a perturbação e os medos tolos das semanas anteriores pareceram desbotar, e uma nova calma abençoada assumiu o lugar vago. Nesse humor adorável e solene, Markam reviu suas atitudes mais recentes, e teve vergonha de si mesmo por sua vaidade e pela obstinação que a seguira. Entrementes, decidiu que esse seria o último dia em que usaria o traje que o afastara daqueles que amava e que lhe causara tantas horas e dias de zombaria, vexação e dor.

Porém, quase no mesmo instante em que chegou a tal conclusão, outra voz pareceu falar-lhe em seu interior, zombando e questionando se ele ainda teria a chance de usar o traje mais uma vez — pois já era tarde demais, e ele escolhera seu caminho e agora deveria enfrentar o problema.

— Não é tarde demais — veio a resposta imediata de sua porção mais otimista.

Sustentado por esse pensamento, Markam levantou-se para voltar para casa e se livrar do agora odioso traje assim que possível. Antes, parou para ver o belo panorama. A luz deitava-se, pálida e lânguida, atenuando cada contorno de rocha e árvore e telhado, e intensificando as sombras num preto aveludado, e iluminando, como se fossem chamas pálidas, a maré que subia e agora avançava feito uma franja sobre a extensão de areia plana. Em seguida saltou da pedra e seguiu para a encosta.

Porém, ao fazê-lo, um terrível espasmo de horror o sacudiu, e por um instante o sangue que invadiu sua cabeça bloqueou toda a luz da lua cheia. Mais uma vez ele viu aquela fatal duplicata de si mesmo caminhando além do atoleiro, da pedra oposta para a encosta. O choque foi ainda maior, pelo contraste com a sensação de paz que ele acabara de apreciar. Quase paralisado em todos os sentidos, Markam ficou observando a imagem tenebrosa e o atoleiro ondulante e trêmulo que parecia fervilhar e ansiar por algo que nele se deitasse. Não houve erro dessa vez, pois, embora a lua, por detrás, imergisse o rosto em sombras, ele podia ver ali as mesmas bochechas barbeadas e o discreto cavanhaque de poucas semanas. O luar reluzia no tartã brilhante, na pluma da águia. Até mesmo a porção de pele à mostra num dos lados do chapéu reluzia, tanto quanto o broche de topázio no ombro e as bordas dos botões de prata. Enquanto olhava, ele sentiu os pés afundando um pouco, pois ainda estava perto da beirada do atoleiro, então deu um passo para trás. Quando fez isso, a outra figura deu um passo à frente, preservando o espaço que os separava.

    Ficaram os dois de frente um para o outro, como se imersos em estranha fascinação; e em meio ao sangue que percorria seu cérebro em alta velocidade, ele pensou ouvir as palavras da profecia: "Encara-te face a face, arrepende-te ou o atoleiro te engolirá". De fato, encarava-se face a face, e se arrependera — mas agora estava afundando no atoleiro! O aviso e a profecia tornavam-se realidade.

    Ao alto, as gaivotas berravam, circulando a beirada da maré que subia, e o barulho, sendo terrivelmente mortal, fez Markam recobrar o senso. Nesse mesmo instante, recuou alguns passos, pois por ora somente seus pés afundavam na areia macia. Quando fez isso, a outra figura caminhou para a frente e, adentrando o terreno de ação do atoleiro, começou a afundar. Pareceu a Markam que via a si mesmo afundando para a morte, e nesse instante de angústia sua alma encontrou escape soltando um berro medonho. No mesmo momento, a outra figura soltou também um grito medonho, e quando Markam jogou as mãos para o alto, o vulto fez o mesmo. Com os olhos esbugalhados de tanto horror, ele viu a si mesmo afundar cada vez mais no atoleiro, e então, compelido por forças que desconhecia, avançou na direção da areia para enfrentar seu destino. Contudo, quando um dos pés começou a afundar, ele tornou a ouvir os gritos das gaivotas, que pareceram restaurar suas faculdades atordoadas. Com grande esforço, Markam arrancou o pé da areia, que parecia agarrar-se a ele, deixando para trás o sapato, e, tomado de horror, virou-se e saiu correndo dali, sem parar, até que o fôlego e as forças lhe falharam e ele caiu de joelhos, quase desmaiado, na trilha de grama por entre os morros de areia.

Arthur Markam resolveu não contar nada à família sobre essa terrível aventura — pelo menos enquanto não se sentisse totalmente dono de si mesmo. Agora que seu sósia — sua outra versão — fora deglutido pelo atoleiro, ele sentia que sua boa e velha paz de espírito lhe retornava.

Naquela noite, dormiu profundamente e não teve sonho algum; ao amanhecer, sentia-se como o homem que sempre fora. Parecia-lhe que sua nova e piorada versão desaparecera para sempre. O mais estranho, Saft Tammie não estava em seu posto naquela manhã, nem tornou a aparecer ali, mas permaneceu sentado no lugar de sempre, olhando para o nada com os olhos fixos como de peixe morto. Seguindo sua nova resolução, Markam nunca mais vestiu o traje das Terras Altas. Certa noite, juntou-o numa trouxa, espada, adaga, kilt e tudo mais, e levou-o consigo em segredo até o atoleiro, onde o jogou. Com uma sensação de prazer intenso, viu o embrulho ser sugado para debaixo da areia, que o encobriu com uma placa lisa feito mármore. Markam voltou para casa e fez um anúncio animado para a família, que se reunira para as orações da noite:

— Bem, meus queridos, espero que fiquem contentes de saber que desisti da ideia de usar o traje das Terras Altas. Agora entendo como fui um tolo vaidoso e quão ridículo me tornei. Ninguém nunca mais verá o traje.

— Onde o guardou, pai? — perguntou uma das meninas, querendo dizer algo para que um anúncio tão altruísta como o do pai não passasse em absoluto silêncio.

A resposta que ele deu foi tão meiga que a menina levantou-se da cadeira, foi até ele e deu-lhe um beijo. Disse ele:

— No atoleiro, meu bem! E espero que essa minha versão ruim fique enterrada lá com ele... para sempre.

A família passou o restante do verão em Crooken em grande alegria, e quando retornou à cidade, o sr. Markam quase tinha se esquecido de todo o incidente no atoleiro e tudo o que dizia respeito a ele quando, certo dia, recebeu uma carta de MacCallum More que o deixou deveras encucado, embora nada dissesse à família; carta essa que deixou, por certos motivos, sem resposta. Ela dizia o seguinte:

MacCallum More e Roderick MacDhu, "Mercado de Lã, Tartã e Roupas Escocesas", Copthall Court, CL, 30 de setembro de 1892

Caro senhor, creio que me perdoará por tomar a liberdade de lhe escrever, mas eu gostaria de perguntar-lhe algo, e fui informado de que o senhor passou o verão em Aberdeenshire (Escócia). Meu sócio, o sr. Roderick MacDhu — como aparece por motivos comerciais em nossos letreiros e propagandas, mas cujo nome verdadeiro é Emmanuel Moses Marks of London — esteve no início do mês passado na Escócia a passeio; porém, como tive notícias dele apenas uma vez, pouco depois que partiu, estou ansioso e receio que algo de infeliz pode ter--lhe acontecido. Como não obtive notícia alguma dele perguntando a todos a que tenho acesso, ocorreu-me de apelar ao senhor. A carta foi escrita com profundo desânimo, e mencionava que ele temia ser julgado pois tivera a ideia de ficar com uma aparência mais escocesa, estando em solo escocês, pois que pouco tempo depois de sua chegada, numa noite de luar, ele vira seu "espectro". Ele evidentemente aludia ao fato de que, antes de partir, arranjara para si um traje das Terras Altas muito similar ao que tivera a honra de fornecer ao senhor, com o qual, talvez o senhor recorde, ele ficou deveras impressionado. Entretanto, talvez ele nunca o tenha usado, pois não tinha grande convicção de fazê-lo, e chegou até a me dizer que inicialmente se aventuraria a vesti-lo apenas tarde da noite ou muito cedo de manhã, e somente em locais remotos, até que se acostumasse mais a ele. Infelizmente, ele não me informou nada acerca do trajeto, de modo que ignoro por completo seu paradeiro; gostaria de perguntar-lhe se por acaso o senhor viu ou ouviu falar de um traje das Terras Altas muito similar ao seu avistado nas cercanias da propriedade que, pelo que me foi dito, o senhor comprou recentemente e ocupou pela temporada. Não espero resposta para esta carta, a não ser que o senhor possa dar-me alguma informação acerca de meu amigo e sócio, por isso rogo para que não se preocupe em responder caso contrário. Sou levado a pensar que ele pode ter passado por sua vizinhança, pois, embora a carta não tenha data, o envelope veio marcado com o selo de Yellon, que pelo que sei fica em Aberdeenshire, e não muito longe de Crooken.

Com toda a honra, caro senhor, e todo o respeito,
Joshua Sheeny Cohen Benjamin (MacCallum More)

O hóspede de Drácula e outros contos estranhos
Dracula's Guest and Other Weird Stories

Copyright © 2021 by Novo Século Editora Ltda.

EDITOR: Luiz Vasconcelos
COORDENAÇÃO EDITORIAL: João Paulo Putini
TRADUÇÃO: Caio Pereira
DIAGRAMAÇÃO: João Paulo Putini
PREPARAÇÃO: Marcia Men
REVISÃO: Equipe Novo Século
CAPA: Gustavo Sazes

Texto de acordo com as normas do Novo Acordo Ortográfico da Língua Portuguesa (1990), em vigor desde 1º de janeiro de 2009.

Dados Internacionais de Catalogação na Publicação (CIP)

Stoker, Bram, 1847-1912
O hóspede de Drácula e outros contos estranhos
Bram Stoker ; tradução de Caio Pereira.
Barueri, SP: Novo Século Editora, 2021.

Título original: Dracula's Guest and Other Weird Stories

1. Contos irlandeses 2. Ficção gótica 3. Terror - Ficção
I. Título II. Pereira, Caio

21-0394   CDD Ir 823

Índice para catálogo sistemático:
1. Contos irlandeses Ir823

Alameda Araguaia, 2190 – Bloco A – 11º andar – Conjunto 1111
CEP 06455-000 – Alphaville Industrial, Barueri – SP – Brasil
Tel.: (11) 3699-7107 | Fax: (11) 3699-7323
www.gruponovoseculo.com.br | atendimento@gruponovoseculo.com.br

facebook/novoseculoeditora
@novoseculoeditora
@NovoSeculo
novo século editora

Compartilhando propósitos e conectando pessoas
Visite nosso site e fique por dentro dos nossos lançamentos:
www.novoseculo.com.br

Edição: 1
Fonte: Arnhem

**ns
apresenta

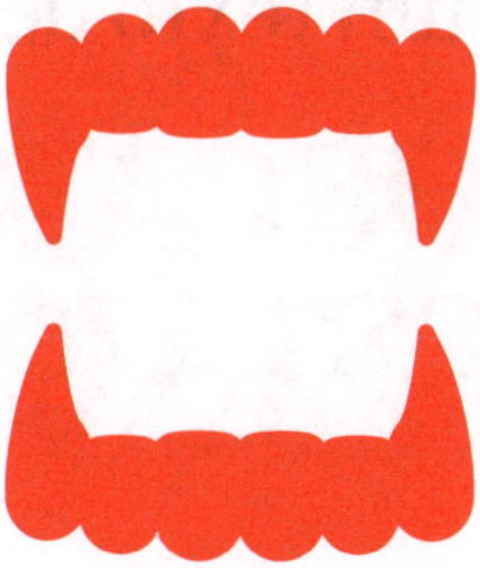

um texto de

OSCAR NESTAREZ

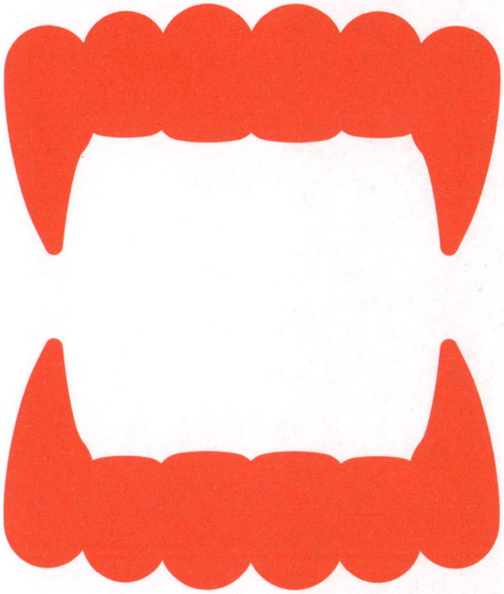

De volta à ESTACA ZERO:
uma jornada pela criação de DRÁCULA

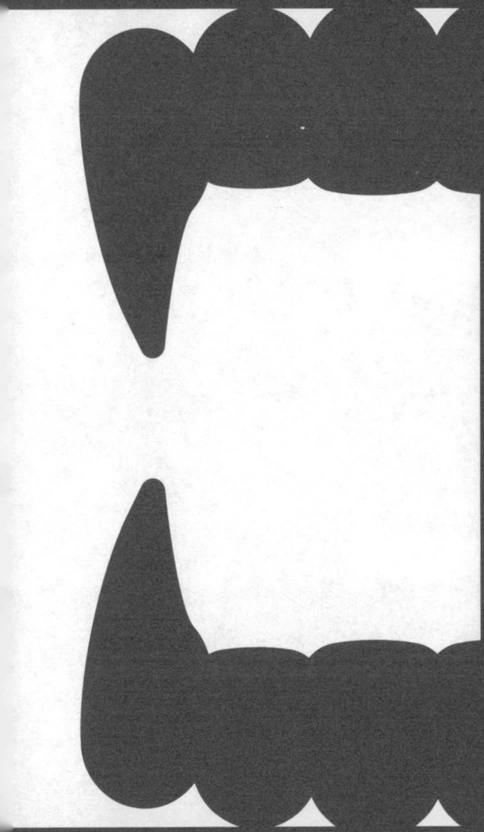

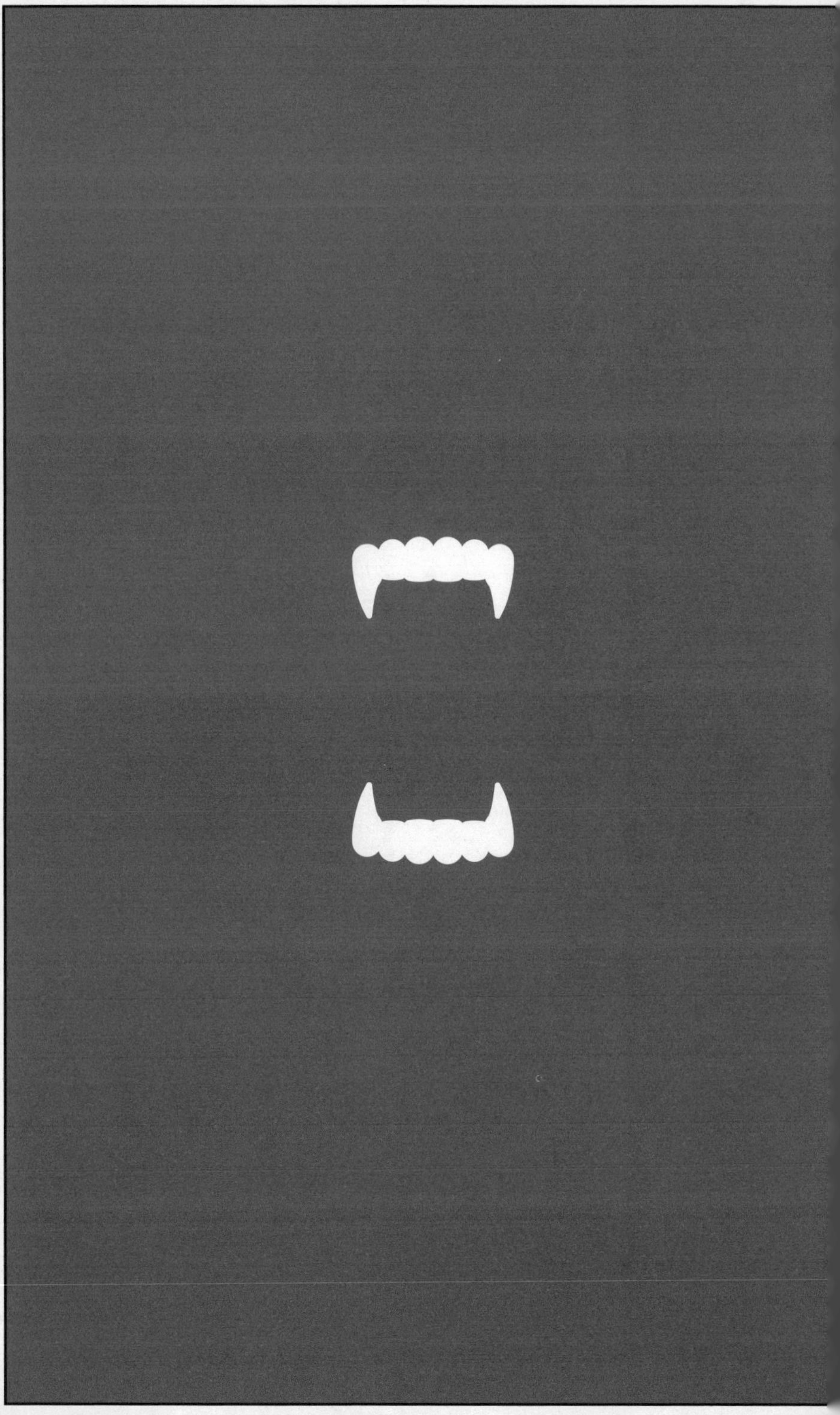

EM 2021, O MAIOR PERSONAGEM

da literatura de horror completa 124 anos. Sim, faz mais de um século que o Conde Drácula saiu da mente de Bram Stoker para aterrorizar, repelir, fascinar, seduzir e inspirar gerações — primeiro de leitores, depois de espectadores, de jogadores de RPG, de *gamers*, de fãs de quadrinhos, e por aí vai. Entra ano, sai ano, o magnetismo exercido pelo maior vampiro de todos continua em dia, sem dar sinais de enfraquecimento. Até porque, diante da eternidade, o que são 124 anos?

Para nós, meros mortais, é bastante tempo. Então, como explicar o sucesso experimentado pela criação de Stoker desde finais do século 19 — mais especificamente, desde 1897, o ano da primeira publicação do romance *Drácula*? Esta pergunta leva a outras: quem foi o homem por trás da criatura? Como se deu a gênese do romance? Em que pontos a narrativa acertou tanto para manter-se viva no nosso imaginário por tamanho intervalo de tempo? Como amante e pesquisador da literatura de horror, apresento alguns fatores e informações que podem oferecer respostas para essas questões.

Faz mais de um século que o Conde Drácula saiu da mente de Bram Stoker para aterrorizar, repelir, fascinar, seduzir e inspirar gerações

Um artista discreto

Biógrafos[*] costumam afirmar que a vida de Bram Stoker foi bem menos fascinante do que o personagem por ele eternizado. De fato, ao analisarmos a trajetória do irlandês nascido em 8 de novembro de 1847 em Clontarf, nos arredores de Dublin, chegamos a uma conclusão semelhante. Stoker foi uma típica figura do período vitoriano, que por quase trinta anos trabalhou como uma espécie de gerente geral do Lyceum Theatre, em Londres. Em todo esse período, viveu à sombra do proprietário do local — e um dos maiores astros de sua época —, o ator Henry Irving. A propósito, conforme afirmam alguns

---

[*] Todas as informações relativas à biografia de Bram Stoker advêm de *Who Was Dracula? Bram Stoker's Trail of Blood*, de Jim Steinmeyer (Penguin, 2013), e de *Personal Reminiscences of Henry Irving*, do próprio Stoker (Cambridge University Press).

estudiosos, Irving foi fundamental para a composição literária do Conde Drácula; mas voltaremos a esse tópico mais adiante. O fato é que, durante grande parte de sua vida, Stoker viveu em função dos caprichos e dos arroubos criativos de seu chefe, talvez o maior nome dos palcos britânicos do século 19.

O papel de coadjuvante, entretanto, parecia adequado ao autor de *Drácula*. Batizado como "Abraham" em homenagem ao pai (um funcionário público empregado no Castelo de Dublin) e logo apelidado de "Bram", ele foi o terceiro dos sete filhos de uma típica família de classe média protestante irlandesa, e desde cedo se mostrou reservado, introspectivo. Talvez por conta de uma doença que, ao longo de seus primeiros anos de vida, impedia-o "até de ficar de pé direito", conforme o próprio Stoker relata em *Personal Reminiscences of Henry Irving*, registro que se tornou uma fonte preciosa de informações sobre sua vida.

Nesse e em outros documentos biográficos, não existem muitos detalhes sobre tal enfermidade. Mas sabe-se que, acamado durante boa parte do tempo, o pequeno Bram tinha um passatempo preferido: ouvir contos fantásticos do folclore irlandês recitados pela mãe, Charlotte Thornley, muitos dos quais eram verdadeiras histórias de horror. Outro divertimento era testemunhar o pai reproduzindo trechos de peças de teatro que o haviam encantado. Apaixonado pelos palcos, Abraham Sênior foi o responsável por despertar no filho o interesse pela dramaturgia e pela cenografia, algo que o acompanharia por quase toda a vida.

A partir dos oito anos, o garoto Bram estava totalmente recuperado. Após ingressar na escola, foi se revelando um bom aluno, com eventuais momentos de brilhantismo, ao passo que acabou superando com folga as limitações da doença. Já na adolescência, mostrou-se exímio nadador, remador e levantador de peso. Ruivo, com mais de 1,80 metro de altura e pesando 80 quilos, chamava a atenção pelo porte físico.

Henry Irving e vampiros no palco

Também apresentava um intelecto em forma: em 1863, ingressou na prestigiada Trinity College, onde graduou-se em Matemática. Na universidade, foi convidado a participar de grupos de debate de filosofia e história. Embora tímido, mostrou-se um debatedor inspirado, capaz de se misturar a diferentes grupos sociais. Nessa mesma época, Stoker aproximou-se definitivamente do teatro. Tornou-se um frequentador assíduo do Theatre Royal, em Dublin, e passou a escrever críticas para o *Dublin Evening Mail*. Isso lhe conferiu certo prestígio no meio e, em última instância, aproximou-o do homem que, a partir dali, marcaria sua vida (e indiretamente sua obra): o ator inglês Henry Irving.

Alto, esquelético, de traços angulosos e expressão taciturna, Irving estava em plena ascensão. Havia assumido um dos mais prestigiados teatros de Londres, o Lyceum, e precisava de alguém para administrá-lo. Ele e Stoker se conheceram depois de uma apresentação do ator na capital irlandesa, quando um rapaz "alucinado" foi procurá-lo nos bastidores para cumprimentá-lo pela atuação. Algum tempo depois, com os laços estreitados, Irving acabou convidando-o para assumir a gerência do teatro londrino.

O ator Henry Irving foi fundamental para a composição literária do Conde Drácula

Paralelamente a isso, os vampiros já frequentavam a imaginação e a rotina de Bram Stoker. O conto *O Vampiro*, de John William Polidori, havia sido publicado em 1818; considerada a primeira narrativa em prosa de língua inglesa a apresentar um vampiro masculino, a obra foi transformada em melodrama pelo francês Charles Nodier pouco depois, em 1820, sendo encenada em Londres no mesmo ano. O relativo sucesso da apresentação resultou em novas adaptações em meados do século 19. Dois exemplos são *Le Vampire*, de Alexandre Dumas (encenada em Paris), e *The Vampire*, do irlandês Dion Boucicault, que estreou em Londres em 1851 e foi reencenada por várias temporadas a seguir.

Duas décadas depois, em 1872, foi publicada aquela que hoje é considerada a principal narrativa vampírica da literatura pré-*Drácula*: a novela *Carmilla*, do também irlandês Joseph Sheridan Le Fanu. A história se desenvolve em torno da personagem-título — a primeira vampira de que se tem notícia — e de seu relacionamento homoafetivo/assombrado com a narradora, Laura. Foi uma publicação de grande sucesso, estabelecendo parâmetros que seriam respeitados pelo próprio Stoker em sua obra, como a atmosfera gótica e o teor sensual em diversas passagens (ainda que, no romance de 1872, essa característica seja mais intensa).

Contribuiu também para o êxito a fama de Le Fanu, já na época um autor consagrado, além de jornalista; ele foi editor do *Dublin Evening Mail*, mesmo periódico para o qual Stoker escrevia resenhas sobre teatro. Não há, contudo, qualquer indício de que os dois tenham se encontrado, ou mesmo se conhecido. Seja como for, não restam dúvidas de que *Carmilla* tenha ajudado a pavimentar o caminho para que, mais de duas décadas depois, o Conde da Transilvânia entrasse em cena.

(Des)construindo *Drácula*

E a cena de fato estava sendo preparada. Em meados de 1890, quando Stoker começou a realizar anotações e pesquisas para o romance que publicaria dali a sete anos, os vampiros tomavam os palcos. Era crescente o número de peças sendo encenadas em importantes teatros da Europa e dos Estados Unidos. Antes de começar a rascunhar *Drácula*, no entanto, o autor prosseguiu com a vida: em 1878, casou-se com Florence Balcombe, uma beldade que, alguns anos antes, tivera Oscar Wilde como pretendente. No mesmo ano, Stoker assumiu o posto de gerente no Lyceum Theatre, cargo que ocuparia por 27 anos. E em 1879 nasceu o único filho do casal, Irving — uma evidente homenagem ao patrão e astro do teatro.

Ao longo desse tempo, e à medida que o trabalho permitia, Bram Stoker sempre escreveu. Sua primeira publicação literária ocorreu alguns anos antes de ingressar no Lyceum Theatre, em 1875: trata-se do romance *The Primrose Path*, de teor moralista, pudico até (características observadas — e frequentemente criticadas — em parte significativa da ficção do autor), que versa sobre os perigos de se beber em excesso. Em 1881, veio a coletânea *Under the Sunset*, com algumas histórias que ora encantam, ora assustam, bem à maneira dos contos irlandeses narrados pela mãe. Em 1890, foi publicado o romance de aventuras *The Snake's Pass*. Neste mesmo ano, Stoker começou a colocar em prática o projeto que se tornaria, de longe, sua obra mais conhecida, a ponto de quase relegar seus outros onze (!) romances ao esquecimento.

Quando nos dedicamos a investigar a criação do maior vampiro de todos os tempos, é forte a tentação de atribuí-la *totalmente* a uma sinistra figura do Leste europeu do século 15: o *Voivoda* (príncipe) da Valáquia Vlad Tepes. Mas não foi bem assim. A composição de Drácula, o personagem, é um verdadeiro pastiche de personalidades históricas que, em maior ou menor medida, exerceram impressões e influências em seu criador. Dada a intensa vida social de Bram Stoker devido ao trabalho com teatro (sua presença era obrigatória em jantares, recepções, estreias etc.), o autor conheceu inúmeras pessoas interessantes e potencialmente literárias. Contudo, de

*Estátua de Vlad Tepes
na cidade romena de
Sighisoara, onde nasceu*

acordo com o biógrafo e pesquisador Jim Steinmeyer, o Conde da Transilvânia tem, em si, traços de duas figuras em especial: o próprio Henry Irving e o poeta, ensaísta e jornalista norte-americano Walt Whitman.

No caso de Irving, a influência é comprovada. O próprio Stoker afirmou, em uma entrevista concedida em 1900 a um jornal de Chicago, que concebeu a personagem como "uma combinação de muitos dos papéis pelos quais ele [Irving] era apreciado". De fato, a figura de Drácula parece ter sido pensada para as habilidades, as maneiras, a aparência (sinistra) e as propensões artísticas do ator — um forte indício de que o romancista sonhava com sua obra levada aos palcos e, quem sabe, protagonizada pelo chefe. Mas não foi o que aconteceu. Após a publicação, Henry Irving não demonstrou interesse algum em adaptar o romance de seu funcionário. Houve apenas uma dramatização, um ano após a publicação; uma mera formalidade necessária para que Stoker assegurasse os direitos autorais sobre a obra.

Quanto a Walt Whitman, a relação antecede aquela com Irving, mas parece não receber a mesma atenção de pesquisadores. O fato é que Stoker sentia imensa admiração pelo poeta desde os tempos da Trinity College, quando escreveu a ele uma longa carta de teor confessional — e recebeu uma resposta entusiasmada. A coleção de poemas *Folhas de relva* havia sido publicada pela primeira vez em 1855, e causara profunda impressão no autor irlandês. A leitura atenta dessa e de outras obras do poeta revela instigantes ligações não apenas com a figura de Drácula, mas com a atmosfera que predomina no romance. Como afirmou outro poeta, o inglês

O célebre poeta inglês Walt Whitman (1819-1892) é considerado uma grande influência na criação do personagem Drácula

D.H. Lawrence, "os grandes poemas de Whitman são, na verdade, enormes e vigorosas plantas-tumba, exuberantemente nascidas no cemitério". Muitos deles soam como a poesia romântica do além-túmulo, declamando a beleza do amor que germina na morte, mas não apenas isso; também têm forte conotação sensual e, não raro, erótica. Atributos que certamente ecoam na obra de Bram Stoker.

Da mesma forma, a aparência de Walt Whitman parece ter exercido forte influência no autor irlandês. Muito se especulou a respeito dos traços físicos de Drácula — houve quem afirmasse que os dentes caninos viessem do escritor e diplomata inglês Richard Burton, e os cabelos brancos, do pianista e compositor húngaro Franz Liszt —, mas, considerando a admiração de Stoker pelo poeta americano (a ponto de chamá-lo de "mestre", como Renfield a Drácula), soa justo que seja ele a principal referência para a figura do Conde. Ainda mais se considerarmos que os dois se encontraram por três vezes, durante turnês da companhia do Lyceum pelos Estados Unidos. Nessas ocasiões, a altura de 1,80 metro, a forte compleição física, a selvagem cabeleira grisalha e a barba revolta de Whitman certamente impressionaram o irlandês. Somados aos versos muitas vezes sinistros e ambiguamente sexuais, esses traços fazem dele um modelo e tanto para o vampiro.

O "antiDorian Gray"

Um outro diálogo deve ser mencionado: aquele estabelecido com a obra do conterrâneo (e, em certa medida, rival) de Stoker, Oscar Wilde. Publicado em 1890, o romance *O retrato de Dorian Gray* certamente estava na cabeça do autor de *Drácula* enquanto ele realizava suas pesquisas e anotações. Prova disso são os esboços iniciais das primeiras páginas da história, nas quais ele considerou a inclusão de um pintor, Francis Aytown, e anotou características que fariam do vampiro uma espécie de Dorian Gray às avessas: "Pintores não podem pintá-lo. Não pode ser fotografado. Insensibilidade à música". Além disso, Jim Steinmeyer nos lembra de que os crimes de Drácula, assim como os de Dorian Gray, por vezes são relegados à nossa imaginação. É o caso da travessia na embarcação *Demeter*, durante a qual toda a tripulação desaparece e o primeiro imediato comete suicídio. Da mesma forma que ocorre com o protagonista do romance de Wilde, a mera *presença* do vampiro já é perigosa.

É preciso mencionar, ainda, a figura histórica que levou Stoker a colocar a Transilvânia no centro do mapa vampírico: Vlad Tepes (Vlad, o Empalador, em romeno), o sanguinário príncipe da Valáquia, hoje Romênia, que ficou conhecido por trespassar prisioneiros de guerra com imensas lanças. Embora o autor nunca tenha detalhado de onde veio a ideia, alguns biógrafos atribuem-na a duas personalidades da época: o aventureiro húngaro Arminius Vambery e o explorador britânico Henry Morton Stanley. Ambos frequentavam o *"Beefsteak Room"*, como ficou conhecido o círculo social organizado em torno de Henry Irving. Durante alguns jantares no Lyceum Theatre, Stoker ouvia fascinado os relatos desses homens — sobretudo os de Vambery, que conhecia a fundo as tradições e as paisagens da Transilvânia. Há, inclusive, registros de que os dois estiveram juntos em 30 de abril de 1890, apenas nove dias antes de o autor começar a esboçar a história.

Devemos, por fim, dar crédito a Bram Stoker por ele ter involuntariamente consolidado a mitologia vampírica a partir de então. Em *Drácula*, as vagas superstições contidas nas histórias precedentes foram clareadas e expandidas. Assim como ocorreu na composição da personagem, aqui também Stoker se serviu de diferentes fontes: o ritual sangrento de perfurar com uma estaca o coração do vampiro foi detalhado em *Varney, o Vampiro*, *penny dreadful* de grande popularidade na primeira metade do século 19, assim como em *Carmilla*, de Le Fanu. O uso de alho como repelente veio do folclore, ao passo que a incapacidade de um vampiro gerar reflexos configura a distorção de uma antiga superstição do Leste europeu. Por outro lado, a dificuldade de atravessar água corrente enfrentada por Drácula e a necessidade de ele repousar em seu solo nativo e consagrado foram invenções do autor. E, por incrível que pareça, no romance o sol não era inimigo dos vampiros; em diferentes vezes, o Conde surge à luz do dia.

Os triunfos da obra

Drácula foi o quinto livro publicado por Bram Stoker. Na narrativa, o autor explora, com grande habilidade, um recurso retórico bastante em voga na época: o romance epistolar. O formato fortalece uma característica indispensável para qualquer narrativa de teor sobrenatural: a verossimilhança.

Tanto que, na ocasião do lançamento, *Drácula* foi considerado tétrico e excessivamente violento. Em uma resenha do mesmo ano, o jornal britânico *Manchester Guardian*[*] classificou o romance como "mais grotesco do que terrível", e Stoker teria cometido "um erro artístico ao preencher todo o volume com horrores; um toque de mistério, de terrível e de sobrenatural seria infinitamente mais efetivo e crível".

À revelia disso, uma das grandes ideias do autor foi elaborar a história por meio de cartas e de telegramas trocados entre personagens, bem como de atualizações de diários e de memorandos. Porque o recurso não só acrescenta verossimilhança ao que é narrado, mas também deixa os leitores em suspenso quanto à certeza

---

*   NILAND, Lauren. Bram Stoker's Dracula: a review from 1897. *The Guardian*, 20 abr. 2012. Disponível em: <https://www.theguardian.com/theguardian/from-the-archive-blog/2012/apr/20/bram-stoker-centenary-dracula-review>. Acesso em: 21 dez. 2020.

*Devemos dar crédito
a Bram Stoker por ele
ter involuntariamente
consolidado a mitologia
vampírica a partir de
então, clareando e
expandindo as vagas
superstições contidas nas
histórias precedentes*

sobre o que realmente ocorreu. Há, ainda, notícias de jornais, registros náuticos e outros documentos que são inseridos ao longo do texto.

É fato que o procedimento interfere na nossa fruição da história — pois, sem um narrador onisciente, temos que montar, nós mesmos, uma espécie de quebra-cabeça, o que pode atenuar o suspense ou enfraquecer certas passagens. Neste sentido, vale lembrar que o personagem-título não é, curiosamente, o protagonista; seu ponto de vista não é apresentado. Por outro lado, isso acaba envolvendo o Conde em brumas de mistério ainda mais espessas. Aliás, o próprio formato epistolar acentua as brumas de enigma que pairam sobre a narrativa, fustigando a nossa imaginação em vários sentidos. Tanto que o formato segue fazendo escola até hoje: George R. R. Martin e suas *Crônicas de Gelo e Fogo* são provas disso.

Outro grande triunfo de Bram Stoker é a atmosfera. Consenso entre leitores e críticos, a ambiência carregada de *Drácula* funciona, e muito bem. O cuidado do autor na criação de cenários sinistros e o tom pesaroso com que ele relata a história acentuam o efeito do horror, provocando nos leitores uma tensão que permanece vibrante até hoje.

Para tanto, Stoker serviu-se fartamente da tradição gótica na literatura. Vemos essa influência já no início do romance: quando Jonathan Harker, advogado de uma firma imobiliária, viaja até a propriedade do Conde Drácula na Transilvânia, a descrição é profundamente gótica. O ambiente noturno, os povoados desolados pelos quais o jovem passa, a aura de sobrenatural que paira por todos os lados e, claro, o assustador castelo do Conde não deixam dúvidas quanto a isso. E são vários os outros indícios dessa tradição encontrados no texto.

Estes são apenas alguns pontos que fazem de *Drácula* uma obra poderosa, quem sabe imortal. Recontada até hoje das mais diversas formas e nos mais diversos formatos, a história não dá sinais de perder seu apelo. E

A Noite de Santa Valburga é o cenário em que se desenrola a trama do conto "O hóspede de Drácula". Durante os festejos, celebrados tanto por cristãos quanto não cristãos em diversos países do norte e do centro da Europa, é costume fazerem-se grandes fogueiras de modo a afugentar espíritos malignos e almas penadas, os quais, segundo a crença popular, vagueiam nessa noite por entre os vivos

seu alcance só faz aumentar; graças às adaptações cinematográficas, aos games, aos jogos de RPG e às influências na música, a legião de fãs continua crescendo em todo o mundo.

Um *Drácula* post-mortem

Além do clássico de 1897, este box traz ainda a coletânea *O hóspede de Drácula e outros contos estranhos*, com nove narrativas breves do mesmo autor. A história por trás da primeira publicação desse título merece algumas linhas, pois ela ocorreu em 1914, dois anos após a morte de Stoker. A iniciativa foi da viúva, Florence, que reuniu textos nos quais o marido vinha trabalhando ou já tinha publicado e a eles somou um episódio de *Drácula* que fora "originalmente extraído devido à extensão do livro", conforme ela mesma afirmou no prefácio da primeira edição.

O episódio em questão é o conto que batiza a coletânea, sobre um viajante inglês que passa por Munique durante a Noite de Santa Valburga. No entanto, descobriu-se que se trata não de um trecho editado de *Drácula*, e sim de parte de uma primeira versão do romance. Afinal, o narrador não se identifica como Jonathan Harker; e, vendo-se diante de ameaças, ele também se comporta de forma muito diferente daquele personagem, sendo mais agressivo e displicente. Em todo o caso, neste conto se percebe aquela atmosfera que funciona tão bem no romance de 1897.

Cabe destacar, também, que a coletânea representa uma inegável versatilidade temática da parte de Stoker. Em maior ou menor medida, todos os contos procuram provocar o arrepio do horror ou o sobressalto do estranhamento; mas os objetos do assombro são bastante diversos. Entre outros, há profecias ciganas, horrores oníricos e casas assombradas. Aqui, destaco o conto "A casa do juiz", publicado originalmente em 1891, no qual um jovem universitário decide se isolar em uma cidadezinha para estudar para as provas de fim de ano, e aluga a taciturna casa que pertenceu a um notório juiz de enforcamentos. A princípio, parece se tratar de uma tradicional *ghost story*; no entanto, à medida que a história se desenvolve, nela irrompem

dente quebra de expectativa. Uma leitura memorável, sem dúvida, capaz de provar que, em Bram Stoker, há vida além de *Drácula*.

Abraham "Bram" Stoker (Dublin, 8 de novembro de 1847 – Londres, 20 de Abril de 1912)

OSCAR NESTAREZ

Escritor e pesquisador da ficção literária de horror. Mestre em Literatura e Crítica Literária pela PUC-SP e doutorando em Estudos Comparados de Literaturas de Língua Portuguesa pela USP. Participou da coletânea *Horror adentro* (Kazuá) e é autor do romance *Bile negra* (Empíreo). Também é colunista da revista *Galileu*.

Coordenação editorial, edição de arte e revisão: João Paulo Putini
Imagens: Shutterstock

Compartilhando propósitos e conectando pessoas
Visite nosso site e fique por dentro dos nossos lançamentos:
www.novoseculo.com.br

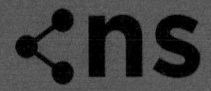

facebook/novoseculoeditora
@novoseculoeditora
@NovoSeculo
novo século editora

gruponovoseculo
.com.br

Fonte: Arnhem